RAPHAEL'S A

Ephemeris of th

for 1

A Complete ...

Mean Obliquity of the Ecliptic, 1992, 23° 26′ 25″

INTRODUCTION

Greenwich Mean Time (G.M.T.) has been used as the basis for all tabulations and times. The tabular data are for Greenwich Mean Noon (12h. G.M.T.), except for the Moon tabulations headed "MIDNIGHT". All phenomena and aspect times are now in G.M.T.

This edition follows the layout for the new form which was introduced in 1980.

BRITISH SUMMER TIME

British Summer Time begins on March 29 and ends on October 25. When *British Summer Time* (one hour in advance of G.M.T.) is used, subtract one hour from B.S.T. before entering this Ephemeris.

These dates are correct according to the acts in force at the time of printing.

[Some of the information in this Ephemeris is reproduced, with permission, from data supplied by the Science Research Council.]

Printed in Great Britain

ISBN 0-572-01640-9

Published by

LONDON: W. FOULSHAM & CO. LTD.

YEOVIL ROAD, SLOUGH, BERKS. ENGLAND

NEW YORK TORONTO CAPE TOWN SYDNEY

New Moon—January 4, 11*h.* 10*m.* *p.m.* (13° ♑ 51′)

D M	D W	Sidereal Time	☉ Long.	☉ Dec.	☽ Long.	☽ Lat.	☽ Dec.	☽ Node	MIDNIGHT ☽ Long.	MIDNIGHT ☽ Dec
		H. M. S.	° ′ ″	° ′	° ′ ″	° ′	° ′	° ′	° ′ ″	° ′
1	W	18 41 36	10♑19 14	23 S 2	2♐17 45	3 S 14	23 S 48	9♑47	8♐23 18	24 S 27
2	Th	18 45 32	11 20 25	22 57	14 26 27	2 17	24 48	9 43	20 27 29	24 51
3	F	18 49 29	12 21 35	22 52	26 26 42	1 14	24 38	9 40	2♑24 22	24 7
4	S	18 53 25	13 22 46	22 46	8♑20 44	0 S 8	23 19	9 37	14 16 4	22 16
5	Su	18 57 22	14 23 57	22 40	20 10 37	0 N 57	20 59	9 34	26 4 37	19 29
6	M	19 1 19	15 25 8	22 33	1♒58 22	2 0	17 46	9 31	7♒52 7	15 54
7	T	19 5 15	16 26 18	22 26	13 46 9	2 58	13 51	9 27	19 40 49	11 41
8	W	19 9 12	17 27 28	22 18	25 36 26	3 48	9 24	9 24	1♓33 21	7 2
9	Th	19 13 8	18 28 38	22 10	7♓31 59	4 29	4 S 35	9 21	13 32 43	2 S 5
10	F	19 17 5	19 29 48	22 1	19 36 1	4 58	0 N 27	9 18	25 42 20	3 N 0
11	S	19 21 1	20 30 57	21 52	1♈52 9	5 14	5 33	9 15	8♈ 5 58	8 4
12	Su	19 24 58	21 32 5	21 43	14 24 15	5 16	10 32	9 12	20 47 31	12 55
13	M	19 28 54	22 33 13	21 33	27 16 14	5 3	15 12	9 8	3♉50 48	17 20
14	T	19 32 51	23 34 20	21 23	10♉31 35	4 33	19 18	9 5	17 18 55	21 1
15	W	19 36 48	24 35 26	21 12	24 12 58	3 47	22 29	9 2	1♊13 48	23 38
16	Th	19 40 44	25 36 32	21 1	8♊21 22	2 46	24 26	8 59	15 35 25	24 49
17	F	19 44 41	26 37 37	20 50	22 55 33	1 32	24 47	8 56	0♋21 10	24 19
18	S	19 48 37	27 38 42	20 38	7♋51 29	0 N 11	23 23	8 53	15 25 32	22 2
19	Su	19 52 34	28 39 46	20 26	23 2 13	1 S 12	20 17	8 49	0♌40 20	18 10
20	M	19 56 30	29♑40 49	20 13	8♌18 34	2 31	15 45	8 46	15 55 37	13 6
21	T	20 0 27	0♒41 52	20 0	23 30 14	3 38	10 15	8 43	1♍ 1 12	7 16
22	W	20 4 23	1 42 53	19 47	8♍27 31	4 30	4 N 14	8 40	15 48 15	1 N 10
23	Th	20 8 20	2 43 55	19 33	23 2 45	5 2	1 S 52	8 37	0♎10 30	4 S 49
24	F	20 12 17	3 44 56	19 19	7♎11 13	5 15	7 40	8 33	14 4 46	10 23
25	S	20 16 13	4 45 56	19 4	20 51 14	5 9	12 55	8 30	27 30 49	15 15
26	Su	20 20 10	5 46 56	18 50	4♏ 3 49	4 47	17 22	8 27	10♏30 39	19 15
27	M	20 24 6	6 47 56	18 34	16 51 49	4 11	20 53	8 24	23 7 49	22 15
28	T	20 28 3	7 48 55	18 19	29 19 13	3 24	23 19	8 21	5♐26 35	24 7
29	W	20 31 59	8 49 53	18 3	11♐30 28	2 29	24 37	8 18	17 31 27	24 50
30	Th	20 35 56	9 50 51	17 47	23 30 1	1 28	24 44	8 14	29 26 42	24 22
31	F	20 39 52	10♒51 47	17 S 31	5♑21 58	0 S 24	23 S 44	8♑11	11♑16 14	22 S 49

D M	Mercury Lat.	Mercury Dec.		Venus Lat.	Venus Dec.		Mars Lat.	Mars Dec.		Jupiter Lat.	Jupiter Dec.
	° ′	° ′	° ′	° ′	° ′	° ′	° ′	° ′	° ′	° ′	° ′
1	1 N 22	21 S 35	21 S 50	2 N 7	18 S 18	18 S 34	0 S 28	23 S 47	23 S 49	1 N 10	7 N 8
3	1 5	22 4	22 17	2 3	18 50	19 5	0 29	23 51	23 53	1 11	7 9
5	0 48	22 29	22 41	1 59	19 20	19 34	0 30	23 55	23 56	1 12	7 10
7	0 32	22 52	23 2	1 55	19 47	20 1	0 32	23 58	23 59	1 12	7 12
9	0 N 15	23 11	23 19	1 51	20 13	20 25	0 33	23 59	24 0	1 13	7 14
11	0 0	23 26	23 32	1 47	20 37	20 48	0 34	24 0	24 0	1 13	7 16
13	0 S 15	23 36	23 40	1 42	20 58	21 8	0 35	24 0	23 59	1 14	7 18
15	0 30	23 42	23 44	1 37	21 17	21 26	0 37	23 58	23 57	1 14	7 21
17	0 44	23 44	23 42	1 32	21 34	21 42	0 38	23 56	23 54	1 15	7 24
19	0 56	23 40	23 36	1 26	21 49	21 55	0 39	23 53	23 50	1 15	7 27
21	1 8	23 31	23 24	1 21	22 1	22 6	0 40	23 48	23 46	1 16	7 30
23	1 19	23 17	23 7	1 15	22 10	22 14	0 41	23 43	23 40	1 16	7 34
25	1 29	22 57	22 45	1 10	22 17	22 19	0 43	23 36	23 33	1 17	7 38
27	1 38	22 32	22 17	1 4	22 21	22 22	0 44	23 29	23 25	1 17	7 42
29	1 46	22 1	21 S 43	0 58	22 23	22 S 22	0 45	23 20	23 S 16	1 18	7 47
31	1 S 53	21 S 24		0 N 52	22 S 22		0 S 46	23 S 11		1 N 18	7 N 51

First Quarter—January 13, 2*h.* 32*m.* *a.m.* (22° ♈ 9′)

FULL MOON—January 19, 9*h.* 28*m.* *p.m.* (29° ♋ 4′)

D	☿	♀	♂	♃	♄	♅	♆	♇	Lunar Aspects								
M	Long.	Long.	Long.	Long.	Long.	Long.	Long.	Long.	☉	☿	♀	♂	♃	♄	♅	♆	♇
	° ′	° ′	° ′	° ′	° ′	° ′	° ′	° ′									
1	18♐39	1♐ 2	24♐ 9	14♍38	5♒55	13♑43	16♑14	22♏ 6			☌			✱	∠	∠	
2	19 53	2 15	24 54	14R37	6 1	13 46	16 16	22 8	⊻				□		⊻	⊻	
3	21 9	3 27	25 38	14 36	6 8	13 50	16 19	22 10		☌		●		∠			⊻
4	22 26	4 40	26 22	14 36	6 15	13 53	16 21	22 12	●		⊻			⊻	●		∠
5	23 45	5 52	27 6	14 35	6 22	13 57	16 23	22 13		⊻	∠		△			●	✱
6	25 5	7 5	27 51	14 33	6 29	14 1	16 25	22 15			✱	⊻	⚼	☌			
7	26 26	8 18	28 35	14 32	6 36	14 4	16 28	22 17	⊻	∠		∠			⊻	⊻	
8	27 49	9 31	29♐20	14 31	6 42	14 8	16 30	22 18		✱		✱			∠	∠	□
9	29♐12	10 43	0♑ 4	14 29	6 49	14 11	16 32	22 20	∠		□			⊻			
10	0♑36	11 56	0 49	14 27	6 56	14 15	16 35	22 21	✱				☍	∠	✱	✱	△
11	2 1	13 9	1 33	14 25	7 3	14 18	16 37	22 23		□		□		✱			⚼
12	3 27	14 22	2 18	14 22	7 10	14 22	16 39	22 24			△				□	□	
13	4 53	15 35	3 2	14 20	7 17	14 26	16 41	22 26	□		⚼	△	⚼				
14	6 21	16 48	3 47	14 17	7 24	14 29	16 44	22 27		△			△	□	△	△	
15	7 48	18 1	4 32	14 14	7 31	14 33	16 46	22 29	△	⚼		⚼			⚼		☍
16	9 17	19 14	5 17	14 11	7 38	14 36	16 48	22 30	⚼				□	△		⚼	
17	10 46	20 28	6 1	14 8	7 45	14 40	16 50	22 31			☍			⚼			
18	12 16	21 41	6 46	14 4	7 53	14 43	16 53	22 33		☍		☍	✱		☍		⚼
19	13 46	22 54	7 31	14 1	8 0	14 47	16 55	22 34	☍				∠			☍	△
20	15 17	24 7	8 16	13 57	8 7	14 50	16 57	22 35			⚼		⊻	☍			
21	16 49	25 21	9 1	13 53	8 14	14 54	16 59	22 36			△	⚼			⚼		□
22	18 21	26 34	9 46	13 49	8 21	14 57	17 2	22 38		⚼		△	☌		△	⚼	
23	19 54	27 48	10 31	13 44	8 28	15 1	17 4	22 39	⚼	△	□			⚼		△	✱
24	21 27	29♐ 1	11 16	13 40	8 35	15 4	17 6	22 40	△			□	⊻	△			∠
25	23 1	0♑15	12 1	13 35	8 43	15 8	17 8	22 41		□					□	□	⊻
26	24 35	1 28	12 46	13 30	8 50	15 11	17 10	22 42	□		✱		∠	□			
27	26 10	2 42	13 31	13 25	8 57	15 14	17 13	22 43			∠	✱	✱		✱	✱	☌
28	27 46	3 55	14 17	13 20	9 4	15 18	17 15	22 44		✱	⊻	∠			∠	∠	
29	29♑23	5 9	15 2	13 15	9 11	15 21	17 17	22 45	✱	∠		⊻	□	✱	⊻	⊻	
30	1♒ 0	6 23	15 47	13 10	9 18	15 25	17 19	22 46	∠					∠			⊻
31	2♒38	7♑36	16♑36	13♍ 4	9♒26	15♑28	17♑21	22♏47		⊻	●			⊻			∠

D	Saturn		Uranus		Neptune		Pluto	
M	Lat.	Dec.	Lat.	Dec.	Lat.	Dec.	Lat.	Dec.
	° ′	° ′	° ′	° ′	° ′	° ′	° ′	° ′
1	0 S 35	19 S 22	0 S 22	23 S 6	0 N 44	21 S 44	14 N 34	4 S 11
3	0 35	19 18	0 22	23 5	0 44	21 43	14 35	4 11
5	0 35	19 15	0 22	23 5	0 44	21 43	14 36	4 11
7	0 35	19 12	0 22	23 4	0 44	21 42	14 36	4 12
9	0 35	19 8	0 22	23 3	0 44	21 41	14 37	4 12
11	0 36	19 5	0 22	23 2	0 44	21 41	14 38	4 12
13	0 36	19 1	0 22	23 2	0 44	21 40	14 39	4 12
15	0 36	18 58	0 22	23 1	0 44	21 40	14 39	4 12
17	0 36	18 54	0 22	23 0	0 44	21 39	14 40	4 11
19	0 36	18 51	0 22	22 59	0 44	21 39	14 41	4 11
21	0 36	18 47	0 22	22 59	0 44	21 38	14 42	4 11
23	0 36	18 44	0 22	22 58	0 44	21 38	14 42	4 11
25	0 36	18 40	0 22	22 57	0 44	21 37	14 43	4 11
27	0 36	18 36	0 22	22 56	0 44	21 37	14 44	4 10
29	0 37	18 33	0 22	22 56	0 44	21 36	14 45	4 10
31	0 S 37	18 S 29	0 S 22	22 S 55	0 N 44	21 S 35	14 N 46	4 S 9

1. ♀ ∠ ♆. **2.** ☿ **P** ♆.
3. ☿ ∠ ♄. **4.** ☿ ⊻ ♇.
5. ☉ △ ♃, ☌ ♅. ♀ ✱ ♄. ♀ **P** ♄.
6. ☉ **P** ☿.
7. ☉ ☌ ♆. ♀ ⊥ ♅. ♂ ⊥ ♇.
8. ☿ ⊥ **P**. ☿ **P** ♅. **9.** ♀ ⊥ ♆.
10. ☿ ☌ ♂, ⊥ ♄. ♂ ⊥ ♄.
12. ♀ □ ♃, ⊻ ♅. ♃ △ ♅. ☉ **P** ♆.
13. ☉ ✱ ♇.
14. ♀ ⊻ ♆.
15. ☿ ⊻ ♄, ∠ ♇. ☉ **P** ♀.
18. ☉ ⊥ ♀. ♀ **P** ♆.
19. ☉ ⚼ ♃. ☿ △ ♃. ♀ ∠ ♄, ⊻ ♇. ♂ ∠ ♇. ♃ ± ♄.
20. ☿ ☌ ♅. ♂ ⊻ ♄.
21. ☿ ☌ ♆. **24.** ♀ ⊥ ♇.
25. ☉ **Q** ♇. ☿ ✱ ♇. ☿ **P** ♅.
27. ♀ ⊥ ♄. ♂ △ ♃. ☉ **P** ♄.
28. ☉ ± ♃. ☿ ⚼ ♃. ☿ **P** ♀.
29. ☉ ☌ ♄. ♂ ☌ ♅.
30. ☿ **P** ♆.
31. ♀ ∠ ♇.

LAST QUARTER—January 26, 3*h.* 27*m.* *p.m.* (5° ♏ 56′)

NEW MOON—February 3, 7*h.* 0*m.* *p.m.* (14° ♒ 12′)

D M	D W	Sidereal Time (H. M. S.)	☉ Long. (° ′ ″)	☉ Dec. (° ′)	☽ Long. (° ′ ″)	☽ Lat. (° ′)	☽ Dec. (° ′)	☽ Node (° ′)	MIDNIGHT ☽ Long. (° ′ ″)	MIDNIGHT ☽ Dec. (° ′)
1	S	20 43 49	11♒52 43	17 S 14	17♑ 9 54	0 N 41	21 S 40	8♑ 8	23♑ 3 19	20 S 17
2	Su	20 47 46	12 53 38	16 57	28 56 50	1 44	18 41	8 5	4♒50 44	16 54
3	M	20 51 42	13 54 32	16 39	10♒45 15	2 42	14 57	8 2	16 40 40	12 51
4	T	20 55 39	14 55 25	16 22	22 37 11	3 33	10 37	7 59	28 35 1	8 17
5	W	20 59 35	15 56 17	16 4	4♓34 20	4 15	5 52	7 55	10♓35 23	3 S 23
6	Th	21 3 32	16 57 7	15 45	16 38 20	4 47	0 S 52	7 52	22 43 25	1 N 40
7	F	21 7 28	17 57 56	15 27	28 50 51	5 5	4 N 12	7 49	5♈ 0 54	6 43
8	S	21 11 25	18 58 44	15 8	11♈13 50	5 10	9 12	7 46	17 29 57	11 35
9	Su	21 15 21	19 59 30	14 49	23 49 34	5 0	13 53	7 43	0♉13 2	16 3
10	M	21 19 18	21 0 15	14 30	6♉40 41	4 35	18 4	7 39	13 12 53	19 53
11	T	21 23 15	22 0 58	14 10	19 49 59	3 55	21 28	7 36	26 32 19	22 46
12	W	21 27 11	23 1 40	13 51	3♊20 9	3 1	23 47	7 33	10♊13 45	24 27
13	Th	21 31 8	24 2 20	13 31	17 13 14	1 55	24 44	7 30	24 18 38	24 37
14	F	21 35 4	25 2 58	13 10	1♋29 54	0 N 40	24 6	7 27	8♋46 45	23 10
15	S	21 39 1	26 3 34	12 50	16 8 47	0 S 39	21 49	7 24	23 35 23	20 6
16	Su	21 42 57	27 4 9	12 29	1♌ 5 47	1 57	18 1	7 20	8♌39 1	15 38
17	M	21 46 54	28 4 43	12 9	16 13 59	3 7	12 59	7 17	23 49 26	10 9
18	T	21 50 50	29♒ 5 14	11 48	1♍24 7	4 5	7 10	7 14	8♍56 42	4 N 5
19	W	21 54 47	0♓ 5 44	11 26	16 25 58	4 44	0 N 59	7 11	23 50 46	2 S 6
20	Th	21 58 44	1 6 12	11 5	1♎10 6	5 4	5 S 7	7 8	8♎23 10	8 1
21	F	22 2 40	2 6 40	10 43	15 29 22	5 4	10 46	7 4	22 28 18	13 20
22	S	22 6 37	3 7 5	10 22	29 19 47	4 46	15 42	7 1	6♏ 3 51	17 48
23	Su	22 10 33	4 7 30	10 0	12♏40 41	4 13	19 39	6 58	19 10 35	21 14
24	M	22 14 30	5 7 53	9 38	25 34 2	3 28	22 31	6 55	1♐51 32	23 30
25	T	22 18 26	6 8 15	9 16	8♐ 3 42	2 34	24 11	6 52	14 11 11	24 34
26	W	22 22 23	7 8 35	8 53	20 14 39	1 34	24 39	6 49	26 14 46	24 26
27	Th	22 26 19	8 8 54	8 31	2♑12 13	0 S 32	23 57	6 45	8♑ 7 39	23 11
28	F	22 30 16	9 9 11	8 8	14 1 41	0 N 32	22 11	6 42	19 54 55	20 56
29	S	22 34 13	10♓ 9 27	7 S 46	25♑47 53	1 N 33	19 S 28	6♑39	1♒41 6	17 S 48

D M	Mercury Lat.	Mercury Dec.	Mercury Dec.	Venus Lat.	Venus Dec.	Venus Dec.	Mars Lat.	Mars Dec.	Mars Dec.	Jupiter Lat.	Jupiter Dec.
1	1 S 56	21 S 4	20 S 42	0 N 49	22 S 20	22 S 18	0 S 47	23 S 5	23 S 0	1 N 18	7 N 54
3	2 0	20 19	19 54	0 43	22 15	22 12	0 48	22 54	22 49	1 19	7 59
5	2 3	19 28	19 0	0 37	22 7	22 3	0 49	22 42	22 36	1 19	8 4
7	2 5	18 31	18 0	0 31	21 57	21 51	0 50	22 29	22 23	1 20	8 9
9	2 5	17 28	16 55	0 24	21 44	21 37	0 51	22 15	22 8	1 20	8 15
11	2 3	16 20	15 43	0 18	21 29	21 20	0 52	22 1	21 53	1 20	8 20
13	2 0	15 5	14 26	0 12	21 11	21 1	0 53	21 45	21 36	1 21	8 26
15	1 54	13 45	13 3	0 N 6	20 50	20 39	0 54	21 28	21 19	1 21	8 32
17	1 46	12 20	11 35	0 0	20 27	20 15	0 55	21 10	21 1	1 21	8 38
19	1 36	10 49	10 2	0 S 5	20 2	19 48	0 57	20 51	20 42	1 21	8 44
21	1 23	9 14	8 25	0 11	19 34	19 19	0 58	20 32	20 22	1 22	8 50
23	1 8	7 34	6 43	0 17	19 4	18 48	0 59	20 11	20 1	1 22	8 56
25	0 50	5 52	4 59	0 22	18 31	18 14	1 0	19 50	19 39	1 22	9 2
27	0 30	4 7	3 14	0 28	17 57	17 39	1 1	19 28	19 17	1 22	9 8
29	0 S 7	2 22	1 S 30	0 33	17 21	17 S 2	1 2	19 5	18 S 53	1 22	9 14
31	0 N 17	0 S 38		0 S 38	16 S 42		1 S 3	18 S 41		1 N 23	9 N 20

FIRST QUARTER—February 11, 4*h.* 15*m.* *p.m.* (22° ♉ 12′)

Full Moon—February 18, 8*h.* 4*m.* *a.m.* (28° ♌ 55′)

D M	☿ Long.	♀ Long.	♂ Long.	♃ Long.	♄ Long.	♅ Long.	♆ Long.	♇ Long.	☉	☿	♀	♂	♃	♄	♅	♆	♇
	° ′	° ′	° ′	° ′	° ′	° ′	° ′	° ′									
1	4 ♒ 16	8 ♑ 50	17 ♑ 18	12 ♍ 58	9 ♒ 33	15 ♑ 31	17 ♑ 23	22 ♏ 48	⚺			☌	△		●	●	✱
2	5 55	10 4	18 3	12 R 52	9 40	15 34	17 25	22 48					⚼				
3	7 35	11 17	18 49	12 46	9 47	15 38	17 28	22 49	☌	☌	⚺			☌	⚺		
4	9 16	12 31	19 34	12 40	9 54	15 41	17 30	22 50			∠	⚺				⚺	□
5	10 57	13 45	20 20	12 34	10 2	15 44	17 32	22 51				∠		⚺	∠	∠	
6	12 39	14 59	21 5	12 27	10 9	15 47	17 34	22 51	⚺	⚺	✱	✱	☍		✱	✱	
7	14 22	16 13	21 51	12 21	10 16	15 51	17 36	22 52	∠	∠				∠			△
8	16 6	17 27	22 37	12 14	10 23	15 54	17 38	22 53		✱				✱	□		⚼
9	17 50	18 40	23 22	12 7	10 30	15 57	17 40	22 53	✱		□	□	⚼			□	
10	19 35	19 54	24 8	12 1	10 37	16 0	17 42	22 54					△	□			
11	21 21	21 8	24 54	11 54	10 44	16 3	17 44	22 54	□	□	△	△			△	△	☍
12	23 8	22 22	25 39	11 47	10 51	16 6	17 46	22 55			⚼				⚼	⚼	
13	24 56	23 36	26 25	11 39	10 58	16 9	17 48	22 55				⚼	□	△			
14	26 44	24 50	27 11	11 32	11 5	16 12	17 50	22 55	△	△				⚼			⚼
15	28 ♒ 33	26 4	27 57	11 25	11 13	16 15	17 51	22 56	⚼	⚼			✱		☍	☍	△
16	0 ♓ 23	27 18	28 42	11 18	11 20	16 18	17 53	22 56			☍	☍	∠				
17	2 13	28 32	29 ♑ 28	11 10	11 27	16 21	17 55	22 56					⚺	☍			□
18	4 4	29 ♑ 46	0 ♒ 14	11 3	11 33	16 24	17 57	22 57	☍	☍					⚼	⚼	
19	5 55	1 ♒ 0	1 0	10 55	11 40	16 27	17 59	22 57			⚼	⚼	☌		△	△	✱
20	7 47	2 14	1 46	10 47	11 47	16 29	18 1	22 57			△	△		⚼			∠
21	9 39	3 28	2 32	10 40	11 54	16 32	18 2	22 57	⚼				⚺	△	□	□	
22	11 31	4 42	3 18	10 32	12 1	16 35	18 4	22 57	△	⚼	□	□	∠				⚺
23	13 24	5 56	4 4	10 24	12 8	16 38	18 6	22 57		△			✱	□	✱	✱	
24	15 15	7 10	4 50	10 16	12 15	16 40	18 8	22 57							∠		☌
25	17 7	8 24	5 36	10 9	12 22	16 43	18 9	22 R 57	□		✱	✱	□	✱		∠	
26	18 57	9 38	6 22	10 1	12 28	16 46	18 11	22 57		□	∠	∠			⚺	⚺	⚺
27	20 47	10 52	7 8	9 53	12 35	16 48	18 12	22 57				⚺		∠			∠
28	22 34	12 6	7 54	9 45	12 42	16 51	18 14	22 57	✱		⚺		△	⚺	●	●	
29	24 ♓ 20	13 ♒ 20	8 ♒ 41	9 ♍ 37	12 ♒ 48	16 ♑ 53	18 ♑ 16	22 ♏ 57	∠	✱			⚼				✱

D M	Saturn Lat.	Saturn Dec.	Uranus Lat.	Uranus Dec.	Neptune Lat.	Neptune Dec.	Pluto Lat.	Pluto Dec.
	° ′	° ′	° ′	° ′	° ′	° ′	° ′	° ′
1	0 S 37	18 S 27	0 S 22	22 S 54	0 N 44	21 S 35	14 N 46	4 S 9
3	0 37	18 24	0 22	22 54	0 44	21 35	14 47	4 9
5	0 37	18 20	0 22	22 53	0 44	21 34	14 48	4 8
7	0 37	18 16	0 22	22 52	0 44	21 34	14 49	4 8
9	0 37	18 12	0 22	22 52	0 44	21 33	14 50	4 7
11	0 38	18 9	0 23	22 51	0 44	21 33	14 51	4 6
13	0 38	18 5	0 23	22 50	0 44	21 32	14 52	4 6
15	0 38	18 1	0 23	22 50	0 44	21 32	14 53	4 5
17	0 38	17 58	0 23	22 49	0 44	21 31	14 53	4 4
19	0 38	17 54	0 23	22 48	0 44	21 31	14 54	4 4
21	0 38	17 50	0 23	22 48	0 44	21 30	14 55	4 3
23	0 39	17 47	0 23	22 47	0 44	21 30	14 56	4 2
25	0 39	17 43	0 23	22 46	0 44	21 29	14 57	4 1
27	0 39	17 39	0 23	22 46	0 44	21 29	14 58	4 0
29	0 39	17 36	0 23	22 45	0 44	21 28	14 59	3 59
31	0 S 39	17 S 32	0 S 23	22 S 45	0 N 44	21 S 28	15 N 0	3 S 58

1. ☿ **Q** ♇. ♂ ☌ ♆.
2. ☉ ⚻ ♃. ♀ ⚺ ♄.
3. ☿ ± ♃. ♂ **P** ♅.
4. ☿ ☌ ♄. ♀ △ ♃.
5. ☉ ⚺ ♅. **6.** ☿ ⚻ ♃.
7. ☉ ⚺ ♆. ♀ ☌ ♅.
8. ☿ ⚺ ♅. ♀ ☌ ♆. ♂ ✱ ♇. ☿ **P** ♄.
9. ☿ ⚺ ♆.
11. ☉ ⊥ ♅. ☿ ⚺ ♀, ⊥ ♅. ♀ **P** ♆.
12. ☉ ☌ ☿, □ ♇. ☿ ⊥ ♆, □ ♇. ♀ ✱ ♇.
13. ☉ ⊥ ♆. ♂ ⚼ ♃. **14.** ☿ ⚺ ♂.
15. ☉ ⚺ ♀, ♀ ⚼ ♃. ♂ **P** ♆.
16. ♃ ⚻ ♄.
17. ☿ ∠ ♅, ∠ ♆. ☉ **P** ☿.
19. ☿ ☌ ♂. ♃ **Q** ♇.
20. ☉ ∠ ♅. ☿ ⊥ ♂.
21. ☿ ⊥ ♀. ☿ **P** ♃.
22. ☉ ∠ ♆. ☿ ☍ ♃, ⚺ ♄. ♀ ± ♃, **Q** ♇.
23. ☉ ⚺ ♂. ♂ ± ♃.
24. ♂ **Q** ♇. ♇ **Stat**. **25.** ☿ ✱ ♅.
26. ☿ ⊥ ♄, ✱ ♆. ♀ ⚻ ♃. ☉ **P** ♃.
27. ☿ **P** ♇. **28.** ☿ ∠ ♂, △ ♇. ♀ **P** ♄. **29.** ☉ ☍ ♃. ♀ ☌ ♄.

Last Quarter—February 25, 7*h.* 56*m.* *a.m.* (5° ♐ 58′)

New Moon—March 4, 1*h.* 22*m.* *p.m.* (14° ♓ 14′)

D M	D W	Sidereal Time H. M. S.	☉ Long. ° ′ ″	☉ Dec. ° ′	☽ Long. ° ′ ″	☽ Lat. ° ′	☽ Dec. ° ′	☽ Node ° ′	MIDNIGHT ☽ Long. ° ′ ″	MIDNIGHT ☽ Dec. ° ′
1	Su	22 38 9	11♓ 9 41	7 S 23	7♒35 1	2 N 31	15 S 57	6♑36	13♒30 1	13 S 56
2	M	22 42 6	12 9 54	7 0	19 26 28	3 22	11 48	6 33	25 24 40	9 32
3	T	22 46 2	13 10 5	6 37	1♓24 51	4 4	7 10	6 30	7♓27 12	4 S 43
4	W	22 49 59	14 10 14	6 14	13 31 54	4 36	2 S 13	6 26	19 39 1	0 N 19
5	Th	22 53 55	15 10 21	5 51	25 48 42	4 56	2 N 52	6 23	2♈ 0 57	5 24
6	F	22 57 52	16 10 26	5 27	8♈15 51	5 2	7 54	6 20	14 33 26	10 26
7	S	23 1 48	17 10 29	5 4	20 53 45	4 53	12 41	6 17	27 16 52	14 54
8	Su	23 5 45	18 10 31	4 41	3♉42 51	4 30	16 59	6 14	10♉11 50	18 52
9	M	23 9 42	19 10 30	4 17	16 43 55	3 52	20 32	6 10	23 19 18	21 57
10	T	23 13 38	20 10 27	3 54	29 58 8	3 1	23 6	6 7	6♊40 37	23 55
11	W	23 17 35	21 10 22	3 30	13♊26 58	1 59	24 23	6 4	20 17 23	24 30
12	Th	23 21 31	22 10 15	3 6	27 12 1	0 N 49	24 14	6 1	4♋10 59	23 35
13	F	23 25 28	23 10 5	2 43	11♋14 20	0 S 25	22 33	5 58	18 22 2	21 9
14	S	23 29 24	24 9 53	2 19	25 33 54	1 39	19 24	5 55	2♌49 40	17 21
15	Su	23 33 21	25 9 39	1 55	10♌ 8 51	2 48	15 0	5 51	17 30 53	12 26
16	M	23 37 17	26 9 23	1 32	24 55 0	3 46	9 40	5 48	2♍20 20	6 45
17	T	23 41 14	27 9 5	1 8	9♍45 51	4 30	3 N 45	5 45	17 10 31	0 N 42
18	W	23 45 11	28 8 44	0 44	24 33 13	4 55	2 S 21	5 42	1♎52 54	5 S 20
19	Th	23 49 7	29♓ 8 21	0 S 21	9♎ 8 34	5 0	8 13	5 39	16 19 18	10 58
20	F	23 53 4	0♈ 7 56	0 N 3	23 24 24	4 47	13 31	5 36	0♏23 16	15 52
21	S	23 57 0	1 7 30	0 27	7♏15 32	4 16	17 58	5 32	14 1 1	19 48
22	Su	0 0 57	2 7 2	0 51	20 39 40	3 32	21 20	5 29	27 11 39	22 34
23	M	0 4 53	3 6 32	1 14	3♐37 14	2 39	23 29	5 26	9♐56 50	24 5
24	T	0 8 50	4 6 0	1 38	16 10 57	1 39	24 22	5 23	22 20 10	24 21
25	W	0 12 46	5 5 26	2 1	28 25 6	0 S 36	24 2	5 20	4♑26 27	23 26
26	Th	0 16 43	6 4 51	2 25	10♑24 54	0 N 27	22 35	5 16	16 21 8	21 28
27	F	0 20 40	7 4 14	2 48	22 15 53	1 29	20 8	5 13	28 9 47	18 36
28	S	0 24 36	8 3 35	3 12	4♒ 3 30	2 26	16 52	5 10	9♒57 41	14 59
29	Su	0 28 33	9 2 54	3 35	15 52 51	3 17	12 56	5 7	21 49 35	10 46
30	M	0 32 29	10 2 11	3 59	27 48 19	4 0	8 29	5 4	3♓49 28	6 6
31	T	0 36 26	11♈ 1 27	4 N 22	9♓53 22	4 N 33	3 S 39	5♑ 1	16♓ 0 19	1 S 9

D M	Mercury Lat. ° ′	Mercury Dec. ° ′	Mercury Dec. ° ′	Venus Lat. ° ′	Venus Dec. ° ′	Venus Dec. ° ′	Mars Lat. ° ′	Mars Dec. ° ′	Mars Dec. ° ′	Jupiter Lat. ° ′	Jupiter Dec. ° ′
1	0 N 5	1 S 30	0 S 38	0 S 35	17 S 2	16 S 42	1 S 2	18 S 53	18 S 41	1 N 23	9 N 17
3	0 30	0 N 12	1 N 2	0 40	16 22	16 2	1 3	18 29	18 17	1 23	9 23
5	0 57	1 49	2 35	0 45	15 41	15 20	1 4	18 4	17 51	1 23	9 29
7	1 25	3 19	4 0	0 50	14 58	14 36	1 5	17 39	17 25	1 23	9 35
9	1 52	4 38	5 13	0 54	14 13	13 50	1 6	17 12	16 59	1 23	9 41
11	2 18	5 45	6 13	0 58	13 27	13 3	1 7	16 45	16 31	1 23	9 47
13	2 42	6 37	6 57	1 2	12 39	12 15	1 8	16 17	16 3	1 23	9 52
15	3 2	7 12	7 23	1 6	11 50	11 25	1 8	15 49	15 35	1 23	9 58
17	3 18	7 30	7 32	1 9	11 0	10 34	1 9	15 20	15 5	1 23	10 3
19	3 27	7 30	7 23	1 12	10 8	9 42	1 10	14 50	14 35	1 23	10 8
21	3 31	7 11	6 56	1 15	9 16	8 49	1 11	14 20	14 5	1 23	10 13
23	3 26	6 37	6 15	1 18	8 22	7 55	1 11	13 49	13 34	1 22	10 18
25	3 15	5 49	5 22	1 21	7 27	7 0	1 12	13 18	13 2	1 22	10 22
27	2 57	4 52	4 21	1 23	6 32	6 4	1 13	12 46	12 30	1 22	10 26
29	2 33	3 49	3 N 17	1 25	5 36	5 S 8	1 14	12 14	11 S 58	1 22	10 30
31	2 N 5	2 N 46		1 S 26	4 S 39		1 S 14	11 S 41		1 N 22	10 N 34

First Quarter—March 12, 2*h.* 36*m.* *a.m.* (21° ♊ 47′)

Full Moon—March 18, 6*h.* 18*m.* *p.m.* (28° ♍ 24′)

D M	☿ Long.	♀ Long.	♂ Long.	♃ Long.	♄ Long.	♅ Long.	♆ Long.	♇ Long.	☉	☿	♀	♂	♃	♄	♅	♆	♇
	° ′	° ′	° ′	° ′	° ′	° ′	° ′	° ′									
1	26♓ 4	14♒34	9♒27	9♍29	12♒55	16♑56	18♑17	22♏57	⊻	∠		☌		☌			
2	27 44	15 48	10 13	9R21	13 2	16 58	18 19	22R57			☌				⊻	⊻	□
3	29♓22	17 2	10 59	9 14	13 8	17 0	18 20	22 56		⊻					∠	∠	
4	0♈55	18 16	11 45	9 6	13 15	17 3	18 22	22 56	☌		⊻	⊻	☍	⊻	⚹	⚹	
5	2 24	19 30	12 32	8 58	13 21	17 5	18 23	22 56				∠		∠			△
6	3 47	20 44	13 18	8 50	13 28	17 7	18 25	22 55		☌	∠	⚹		⚹			⚼
7	5 5	21 59	14 4	8 42	13 34	17 10	18 26	22 55	⊻		⚹		⚼		□	□	
8	6 17	23 13	14 51	8 35	13 40	17 12	18 27	22 55	∠	⊻			△				
9	7 22	24 27	15 37	8 27	13 47	17 14	18 29	22 54	⚹	∠		□		□	△	△	☍
10	8 19	25 41	16 23	8 19	13 53	17 16	18 30	22 54			□				⚼	⚼	
11	9 10	26 55	17 10	8 12	13 59	17 18	18 31	22 53		⚹		△	□	△			
12	9 52	28 9	17 56	8 4	14 5	17 20	18 33	22 53	□		△	⚼		⚼			
13	10 26	29♒23	18 42	7 57	14 12	17 22	18 34	22 52		□	⚼		⚹		☍		⚼
14	10 52	0♓37	19 29	7 50	14 18	17 24	18 35	22 51	△				∠			☍	△
15	11 9	1 51	20 15	7 42	14 24	17 26	18 36	22 51	⚼	△			⊻	☍			
16	11 18	3 5	21 2	7 35	14 30	17 28	18 37	22 50		⚼		☍					□
17	11R18	4 19	21 48	7 28	14 36	17 29	18 39	22 49			☍		☌		⚼	⚼	
18	11 10	5 34	22 34	7 21	14 42	17 31	18 40	22 49	☍					⚼	△	△	⚹
19	10 54	6 48	23 21	7 14	14 47	17 33	18 41	22 48		☍		⚼	⊻	△			∠
20	10 31	8 2	24 7	7 8	14 53	17 34	18 42	22 47			⚼	△	∠		□	□	⊻
21	10 1	9 16	24 54	7 1	14 59	17 36	18 43	22 46			△		⚹				
22	9 25	10 30	25 40	6 54	15 5	17 38	18 44	22 45	⚼	⚼		□		□	⚹	⚹	☌
23	8 43	11 44	26 27	6 48	15 10	17 39	18 45	22 44	△	△			□		∠	∠	
24	7 58	12 58	27 13	6 42	15 16	17 40	18 45	22 43			□			⚹	⊻	⊻	
25	7 9	14 12	28 0	6 35	15 21	17 42	18 46	22 42				⚹		∠			⊻
26	6 18	15 26	28 46	6 29	15 27	17 43	18 47	22 41	□	□	⚹	∠	△	⊻			∠
27	5 26	16 40	29♒33	6 23	15 32	17 45	18 48	22 40					⚼		☌	☌	⚹
28	4 35	17 54	0♓19	6 18	15 37	17 46	18 49	22 39	⚹	⚹	∠	⊻					
29	3 44	19 8	1 6	6 12	15 42	17 47	18 50	22 38		∠	⊻			☌	⊻	⊻	
30	2 55	20 22	1 52	6 6	15 48	17 48	18 50	22 37	∠	⊻		☌			∠		□
31	2♈ 9	21♓36	2♓39	6♍ 1	15♒53	17♑49	18♑51	22♏36	⊻				☍	⊻		∠	

D M	Saturn Lat.	Saturn Dec.	Uranus Lat.	Uranus Dec.	Neptune Lat.	Neptune Dec.	Pluto Lat.	Pluto Dec.
	° ′	° ′	° ′	° ′	° ′	° ′	° ′	° ′
1	0 S 39	17 S 34	0 S 23	22 S 45	0 N 44	21 S 28	14 N 59	3 S 59
3	0 40	17 30	0 23	22 44	0 44	21 28	15 0	3 58
5	0 40	17 27	0 23	22 44	0 44	21 27	15 1	3 57
7	0 40	17 23	0 23	22 43	0 44	21 27	15 2	3 56
9	0 40	17 20	0 23	22 43	0 44	21 26	15 3	3 55
11	0 40	17 16	0 23	22 42	0 44	21 26	15 3	3 54
13	0 41	17 13	0 23	22 42	0 44	21 26	15 4	3 53
15	0 41	17 10	0 23	22 41	0 44	21 25	15 5	3 52
17	0 41	17 7	0 23	22 41	0 44	21 25	15 6	3 51
19	0 41	17 3	0 23	22 41	0 44	21 25	15 7	3 50
21	0 41	17 0	0 23	22 40	0 44	21 24	15 7	3 49
23	0 42	16 57	0 23	22 40	0 44	21 24	15 8	3 47
25	0 42	16 54	0 24	22 40	0 44	21 24	15 9	3 46
27	0 42	16 51	0 24	22 39	0 44	21 24	15 9	3 45
29	0 42	16 48	0 24	22 39	0 44	21 23	15 10	3 44
31	0 S 43	16 S 45	0 S 24	22 S 39	0 N 44	21 S 23	15 N 11	3 S 43

1. ♂ ⚻ ♃. **2.** ☿ ∠ ♄.
3. ☉ ⊻ ♄. ☿ **Q** ♅. ♀ ⊻ ♅.
4. ☿ **Q** ♆. ♀ ⊻ ♆.
6. ♂ ☌ ♄.
7. ☉ ⚹ ♅.
8. ☉ ⚹ ♆. ♀ ⊥ ♅, □ ♇.
☿ **P** ♇. ♂ **P** ♄.
9. ♀ ⊥ ♆. ☉ **P** ☿.
10. ☉ ⊥ ♄, ☿ ⚻ ♃, ⚼ ♇. ☉ **P** ♇.
11. ♂ ⊻ ♅.
13. ☉ △ ♇. ♂ ⊻ ♆.
15. ♀ ∠ ♅.
16. ♀ ∠ ♆.
17. ☿ **Stat.** **18.** ☿ ⊥ ♀. ♂ □ ♇.
19. ☉ **Q** ♅. ♀ ☍ ♃. ♂ ⊥ ♅.
♀ **P** ♃.
20. ☉ ⊥ ♂, ∠ ♄.
21. ☉ **Q** ♆. ☿ ⊻ ♀, ∠ ♂. ♂ ⊥ ♆.
24. ☿ ⚼ ♇.
26. ☉ ☌ ☿, ⚻ ♃. ☿ ⚻ ♃. ♀ ⊻ ♄.
27. ☿ ⊥ ♂.
28. ☉ ⚼ ♇. ♀ ⚹ ♅.
29. ♀ ⚹ ♆. ☉ **P** ☿, **P** ♇. ☿ **P** ♇.
31. ☿ ⊻ ♂. ♀ ⊥ ♄. ♂ ∠ ♅. ☉ **P** ♀.

Last Quarter—March 26, 2*h.* 30*m.* *a.m.* (5° ♑ 41′)

New Moon—April 3, *5h. 1m. a.m.* (13° ♈ 42′)

D M	D W	Sidereal Time	☉ Long.	☉ Dec.	☽ Long.	☽ Lat.	☽ Dec.	☽ Node	MIDNIGHT ☽ Long.	MIDNIGHT ☽ Dec
		H. M. S.	° ′ ″	° ′	° ′ ″	° ′	° ′	° ′	° ′ ″	° ′
1	W	0 40 22	12♈ 0 40	4N45	22♓10 30	4N53	1N23	4♑57	28♓24 4	3N56
2	Th	0 44 19	12 59 52	5 8	4♈41 4	5 0	6 27	4 54	11♈ 1 31	8 56
3	F	0 48 15	13 59 1	5 31	17 25 23	4 52	11 20	4 51	23 52 34	13 39
4	S	0 52 12	14 58 9	5 54	0♉22 56	4 29	15 48	4 48	6♉56 22	17 48
5	Su	0 56 9	15 57 14	6 17	13 32 42	3 52	19 35	4 45	20 11 47	21 8
6	M	1 0 5	16 56 18	6 39	26 53 30	3 1	22 24	4 42	3♊37 44	23 21
7	T	1 4 2	17 55 19	7 2	10♊24 24	1 59	23 59	4 38	17 13 27	24 15
8	W	1 7 58	18 54 18	7 24	24 4 53	0N50	24 9	4 35	0♋58 40	23 40
9	Th	1 11 55	19 53 14	7 47	7♋54 50	0S23	22 49	4 32	14 53 22	21 37
10	F	1 15 51	20 52 9	8 9	21 54 18	1 36	20 5	4 29	28 57 33	18 14
11	S	1 19 48	21 51 0	8 31	6♌ 3 2	2 43	16 7	4 26	13♌10 35	13 46
12	Su	1 23 44	22 49 50	8 53	20 19 57	3 41	11 12	4 22	27 30 47	8 29
13	M	1 27 41	23 48 37	9 14	4♍42 40	4 26	5N39	4 19	11♍55 2	2N45
14	T	1 31 38	24 47 22	9 36	19 7 17	4 53	0S12	4 16	26 18 42	3S 8
15	W	1 35 34	25 46 5	9 57	3♎28 36	5 3	6 0	4 13	10♎36 11	8 48
16	Th	1 39 31	26 44 46	10 19	17 40 46	4 53	11 27	4 10	24 41 38	13 55
17	F	1 43 27	27 43 24	10 40	1♏38 10	4 26	16 11	4 7	8♏29 54	18 13
18	S	1 47 24	28 42 1	11 1	15 16 24	3 44	19 59	4 3	21 57 26	21 27
19	Su	1 51 20	29♈40 36	11 22	28 32 51	2 50	22 36	4 0	5♐ 2 39	23 27
20	M	1 55 17	0♉39 10	11 42	11♐26 59	1 50	23 58	3 57	17 46 4	24 10
21	T	1 59 13	1 37 41	12 2	24 0 15	0S45	24 3	3 54	0♑ 9 58	23 38
22	W	2 3 10	2 36 11	12 23	6♑15 42	0N21	22 57	3 51	12 18 1	22 0
23	Th	2 7 7	3 34 39	12 43	18 17 32	1 24	20 48	3 48	24 14 52	19 23
24	F	2 11 3	4 33 6	13 2	0♒10 41	2 23	17 47	3 44	6♒ 5 39	16 0
25	S	2 15 0	5 31 31	13 22	12 0 27	3 16	14 3	3 41	17 55 42	11 59
26	Su	2 18 56	6 29 54	13 41	23 52 4	4 0	9 47	3 38	29 50 9	7 29
27	M	2 22 53	7 28 16	14 0	5♓50 31	4 34	5 7	3 35	11♓53 42	2S40
28	T	2 26 49	8 26 36	14 19	18 0 8	4 57	0S11	3 32	24 10 15	2N20
29	W	2 30 46	9 24 54	14 38	0♈24 21	5 6	4N50	3 28	6♈42 42	7N20
30	Th	2 34 42	10♉23 11	14N56	13♈ 5 27	5N 1	9N47	3♑25	19♈32 41	12N 9

D M	Mercury Lat.	Mercury Dec.		Venus Lat.	Venus Dec.		Mars Lat.	Mars Dec.		Jupiter Lat.	Jupiter Dec.
	° ′	° ′	° ′	° ′	° ′	° ′	° ′	° ′	° ′	° ′	° ′
1	1N49	2N15	1N45	1S27	4S10	3S42	1S14	11S25	11S 8	1N22	10N36
3	1 18	1 17	0 51	1 28	3 13	2 44	1 15	10 51	10 34	1 21	10 40
5	0 45	0N27	0N 5	1 29	2 15	1 46	1 16	10 17	10 0	1 21	10 43
7	0N14	0S14	0S31	1 30	1 17	0S48	1 16	9 43	9 26	1 21	10 46
9	0S16	0 45	0 56	1 31	0S18	0N11	1 17	9 9	8 51	1 21	10 49
11	0 44	1 5	1 11	1 31	0N40	1 9	1 17	8 34	8 16	1 20	10 51
13	1 9	1 15	1 17	1 31	1 39	2 8	1 18	7 59	7 41	1 20	10 53
15	1 32	1 15	1 12	1 30	2 37	3 6	1 18	7 24	7 6	1 20	10 55
17	1 52	1 6	0 58	1 30	3 35	4 5	1 18	6 48	6 30	1 20	10 57
19	2 9	0 49	0 37	1 29	4 34	5 2	1 19	6 12	5 54	1 19	10 58
21	2 23	0S23	0S 7	1 28	5 31	6 0	1 19	5 36	5 18	1 19	10 59
23	2 34	0N11	0N30	1 26	6 28	6 57	1 19	5 0	4 42	1 19	11 0
25	2 43	0 51	1 13	1 25	7 25	7 53	1 20	4 24	4 5	1 18	11 1
27	2 50	1 37	2 3	1 23	8 21	8 49	1 20	3 47	3 29	1 18	11 1
29	2 53	2 30	2N58	1 21	9 17	9N44	1 20	3 11	2S53	1 18	11 1
31	2S55	3N28		1S18	10N11		1S20	2S34		1N17	11N 1

First Quarter—April 10, *10h. 6m. a.m.* (20° ♋ 47′)

FULL MOON—April 17, 4*h.* 42*m.* *a.m.* (27° ♎ 26′)

D	☿	♀	♂	♃	♄	♅	♆	♇	Lunar Aspects								
M	Long.	Long.	Long.	Long.	Long.	Long.	Long.	Long.	☉	☿	♀	♂	♃	♄	♅	♆	♇
	° ′	° ′	° ′	° ′	° ′	° ′	° ′	° ′									
1	1♈27	22♓50	3♓25	5♍56	15♒58	17♑50	18♑52	22♏35			☌				✱	✱	△
2	0R48	24 4	4 12	5R51	16 3	17 51	18 52	22R34		☌		⊻		∠			⚼
3	0♈15	25 19	4 58	5 46	16 8	17 52	18 53	22 33	☌			∠	⚼	✱	□	□	
4	29♓46	26 33	5 45	5 41	16 13	17 53	18 53	22 31		⊻	⊻	✱	△				
5	29 23	27 47	6 31	5 36	16 17	17 54	18 54	22 30	⊻	∠	∠			□	△	△	
6	29 5	29♓ 1	7 18	5 32	16 22	17 55	18 54	22 29	∠	✱	✱				⚼		☍
7	28 53	0♈15	8 4	5 28	16 27	17 56	18 55	22 28				□	□	△		⚼	
8	28 46	1 29	8 51	5 24	16 31	17 56	18 55	22 26	✱	□							
9	28D44	2 43	9 37	5 20	16 36	17 57	18 55	22 25			□	△	✱	⚼			⚼
10	28 48	3 57	10 24	5 16	16 40	17 58	18 56	22 24	□	△		⚼	∠		☍	☍	△
11	28 57	5 11	11 10	5 12	16 44	17 58	18 56	22 22			△		⊻				
12	29 11	6 25	11 57	5 9	16 49	17 59	18 56	22 21	△	⚼	⚼			☍			□
13	29 30	7 38	12 43	5 6	16 53	17 59	18 57	22 20	⚼				☌		⚼	⚼	
14	29♓54	8 52	13 30	5 2	16 57	18 0	18 57	22 18				☍			△	△	✱
15	0♈22	10 6	14 16	5 0	17 1	18 0	18 57	22 17		☍			⊻	⚼			∠
16	0 54	11 20	15 3	4 57	17 5	18 0	18 57	22 15			☍		∠	△	□	□	⊻
17	1 31	12 34	15 49	4 54	17 9	18 0	18 57	22 14	☍			⚼	✱				
18	2 11	13 48	16 35	4 52	17 12	18 1	18 57	22 12		⚼		△		□	✱	✱	
19	2 55	15 2	17 22	4 50	17 16	18 1	18 57	22 11		△	⚼		□		∠	∠	☌
20	3 42	16 16	18 8	4 48	17 20	18 1	18 57	22 9	⚼		△			✱			
21	4 33	17 30	18 54	4 46	17 23	18 1	18R57	22 8				□			⊻	⊻	⊻
22	5 27	18 44	19 41	4 44	17 27	18R 1	18 57	22 6	△	□			△	∠			∠
23	6 24	19 58	20 27	4 43	17 30	18 1	18 57	22 5			□	✱	⚼	⊻	☌	☌	✱
24	7 24	21 12	21 13	4 42	17 33	18 1	18 57	22 3	□								
25	8 27	22 25	22 0	4 41	17 36	18 1	18 57	22 2		✱		∠		☌			
26	9 32	23 39	22 46	4 40	17 40	18 0	18 57	22 0		∠	✱	⊻			⊻	⊻	□
27	10 41	24 53	23 32	4 39	17 43	18 0	18 57	21 58	✱	⊻	∠		☍		∠	∠	
28	11 51	26 7	24 19	4 38	17 45	18 0	18 56	21 57	∠					⊻	✱	✱	△
29	13 4	27 21	25 5	4 38	17 48	18 0	18 56	21 55			⊻	☌		∠			
30	14♈20	28♈35	25♓51	4♍38	17♒51	17♑59	18♑56	21♏53	⊻	☌				✱	□	□	⚼

D	Saturn		Uranus		Neptune		Pluto	
M	Lat.	Dec.	Lat.	Dec.	Lat.	Dec.	Lat.	Dec.
	° ′	° ′	° ′	° ′	° ′	° ′	° ′	° ′
1	0 S 43	16 S 44	0 S 24	22 S 39	0 N 44	21 S 23	15 N 11	3 S 42
3	0 43	16 41	0 24	22 38	0 44	21 23	15 11	3 41
5	0 43	16 39	0 24	22 38	0 44	21 23	15 12	3 40
7	0 44	16 36	0 24	22 38	0 44	21 22	15 12	3 39
9	0 44	16 34	0 24	22 38	0 44	21 22	15 13	3 38
11	0 44	16 31	0 24	22 38	0 44	21 22	15 13	3 37
13	0 44	16 29	0 24	22 38	0 44	21 22	15 14	3 36
15	0 45	16 27	0 24	22 38	0 44	21 22	15 14	3 35
17	0 45	16 25	0 24	22 38	0 45	21 22	15 15	3 34
19	0 45	16 23	0 24	22 38	0 45	21 22	15 15	3 33
21	0 46	16 21	0 24	22 38	0 45	21 22	15 15	3 32
23	0 46	16 19	0 24	22 38	0 45	21 22	15 15	3 31
25	0 46	16 17	0 24	22 38	0 45	21 22	15 16	3 30
27	0 46	16 16	0 24	22 38	0 45	21 22	15 16	3 29
29	0 47	16 14	0 25	22 38	0 45	21 22	15 16	3 28
31	0 S 47	16 S 13	0 S 25	22 S 38	0 N 45	21 S 22	15 N 16	3 S 27

1. ☉ ± ♃. ♀ △ ♇.
2. ☿ ∠ ♄, **Q** ♆. ♂ ∠ ♆. ♀ **P** ♇.
4. ☿ **Q** ♅. ♂ ☍ ♃. ♂ **P** ♃.
5. ☉ ✱ ♄. **6.** ☉ ± ♇. ☿ ☌ ♀.
7. ☉ □ ♅. ♀ **Q** ♅.
8. ☉ □ ♆. ♀ ∠ ♄, **Q** ♆. ☿ **P** ♀.
9. ☉ ⚼ ♃. ☿ **Stat.**
11. ♀ ⩢ ♃. ☉ **P** ♂.
12. ☉ ⩢ ♇. ☿ **P** ♀.
13. ♀ ⚼ ♇.
14. ☿ **Q** ♅.
16. ☿ **Q** ♆. ♀ ± ♃.
17. ♀ **P** ♇.
18. ☿ ∠ ♄. ☉ **P** ♃.
19. ☉ **Q** ♄. ♂ ⊻ ♄.
20. ♀ ± ♇. ♂ ✱ ♅. ♆ **Stat.**
21. ☿ ⩢ ♃. ♀ ✱ ♄, □ ♅,
♂ ✱ ♆. ♀ **P** ♂. ♅ **Stat.**
22. ♀ □ ♆.
23. ♀ ⚼ ♃.
24. ☉ △ ♃. ☿ ⚼ ♇. ♀ ⊻ ♂.
25. ♀ ⩢ ♇. ♂ △ ♇.
27. ☿ ± ♃. ♂ ⊥ ♄.
28. ♂ **P** ♇.
30. ☿ **P** ♂. ♃ **Stat.**

LAST QUARTER—April 24, 9*h.* 40*m.* *p.m.* (4° ♒ 57′)

New Moon—May 2, 5*h.* 44*m.* *p.m.* (12° ♉ 34′)

D M	D W	Sidereal Time	☉ Long.	☉ Dec.	☽ Long.	☽ Lat.	☽ Dec.	☽ Node	MIDNIGHT ☽ Long.	MIDNIGHT ☽ Dec
		H. M. S.	° ′ ″	° ′	° ′ ″	° ′	° ′	° ′	° ′ ″	° ′
1	F	2 38 39	11♉21 27	15N14	26♈ 4 23	4N40	14N24	3♑22	2♉40 26	16N31
2	S	2 42 36	12 19 40	15 32	9♉20 42	4 3	18 27	3 19	16 4 54	20 9
3	Su	2 46 32	13 17 52	15 50	22 52 44	3 13	21 36	3 16	29 43 53	22 44
4	M	2 50 29	14 16 2	16 7	6♊37 57	2 10	23 33	3 13	13♊34 34	24 0
5	T	2 54 25	15 14 11	16 24	20 33 21	0N58	24 5	3 9	27 33 56	23 46
6	W	2 58 22	16 12 18	16 41	4♋35 58	0S17	23 5	3 6	11♋39 9	22 1
7	Th	3 2 18	17 10 22	16 58	18 43 13	1 32	20 37	3 3	25 47 53	18 53
8	F	3 6 15	18 8 25	17 14	2♌52 57	2 42	16 53	3 0	9♌58 13	14 39
9	S	3 10 11	19 6 26	17 30	17 3 27	3 42	12 12	2 57	24 8 29	9 35
10	Su	3 14 8	20 4 25	17 46	1♍13 5	4 28	6 52	2 53	8♍17 1	4N 3
11	M	3 18 5	21 2 22	18 1	15 20 2	4 58	1N12	2 50	22 21 52	1S40
12	T	3 22 1	22 0 17	18 16	29 22 10	5 10	4S29	2 47	6♎20 38	7 15
13	W	3 25 58	22 58 10	18 31	13♎16 53	5 3	9 54	2 44	20 10 34	12 25
14	Th	3 29 54	23 56 2	18 45	27 1 20	4 39	14 45	2 41	3♏48 51	16 53
15	F	3 33 51	24 53 52	19 0	10♏32 47	4 0	18 47	2 38	17 12 52	20 25
16	S	3 37 47	25 51 40	19 13	23 48 55	3 8	21 46	2 34	0♐20 46	22 49
17	Su	3 41 44	26 49 27	19 27	6♐48 19	2 8	23 33	2 31	13 11 36	23 57
18	M	3 45 40	27 47 13	19 40	19 30 41	1S 2	24 3	2 28	25 45 41	23 50
19	T	3 49 37	28 44 58	19 53	1♑56 51	0N 6	23 20	2 25	8♑ 4 27	22 33
20	W	3 53 34	29♉42 41	20 5	14 8 52	1 12	21 30	2 22	20 10 28	20 13
21	Th	3 57 30	0♊40 23	20 18	26 9 44	2 14	18 43	2 19	2♒ 7 11	17 3
22	F	4 1 27	1 38 4	20 29	8♒ 3 20	3 10	15 12	2 15	13 58 45	13 12
23	S	4 5 23	2 35 44	20 41	19 54 3	3 57	11 6	2 12	25 49 49	8 52
24	Su	4 9 20	3 33 23	20 52	1♓46 41	4 34	6 34	2 9	7♓45 14	4S11
25	M	4 13 16	4 31 0	21 3	13 46 5	5 0	1S46	2 6	19 49 48	0N42
26	T	4 17 13	5 28 37	21 13	25 56 57	5 13	3N11	2 3	2♈ 8 2	5 39
27	W	4 21 9	6 26 13	21 23	8♈23 30	5 12	8 6	1 59	14 43 45	10 29
28	Th	4 25 6	7 23 48	21 33	21 9 5	4 55	12 48	1 56	27 39 45	15 0
29	F	4 29 3	8 21 22	21 42	4♉15 52	4 23	17 3	1 53	10♉57 27	18 55
30	S	4 32 59	9 18 56	21 51	17 44 26	3 35	20 34	1 50	24 36 37	21 56
31	Su	4 36 56	10♊16 28	21N59	1♊33 42	2N34	22N59	1♑47	8♊35 15	23N42

D M	Mercury Lat.	Mercury Dec.	Mercury Dec.	Venus Lat.	Venus Dec.	Venus Dec.	Mars Lat.	Mars Dec.	Mars Dec.	Jupiter Lat.	Jupiter Dec.
	° ′	° ′	° ′	° ′	° ′	° ′	° ′	° ′	° ′	° ′	° ′
1	2S55	3N28	3N59	1S18	10N11	10N38	1S20	2S34	2S16	1N17	11N 1
3	2 54	4 30	5 4	1 16	11 5	11 31	1 20	1 58	1 39	1 17	11 0
5	2 50	5 38	6 13	1 13	11 57	12 23	1 20	1 21	1 3	1 17	10 59
7	2 45	6 49	7 26	1 10	12 49	13 14	1 20	0 44	0S26	1 16	10 58
9	2 37	8 4	8 43	1 7	13 39	14 4	1 20	0S 8	0N10	1 16	10 57
11	2 27	9 22	10 2	1 3	14 28	14 52	1 20	0N28	0 47	1 15	10 55
13	2 15	10 43	11 24	1 0	15 16	15 39	1 20	1 5	1 23	1 15	10 53
15	2 1	12 6	12 48	0 56	16 2	16 24	1 20	1 41	1 59	1 15	10 51
17	1 45	13 30	14 12	0 52	16 46	17 8	1 20	2 17	2 35	1 14	10 49
19	1 28	14 55	15 37	0 48	17 29	17 49	1 20	2 53	3 11	1 14	10 46
21	1 9	16 20	17 1	0 44	18 10	18 29	1 20	3 29	3 47	1 14	10 43
23	0 48	17 43	18 23	0 40	18 49	19 7	1 19	4 5	4 22	1 13	10 40
25	0 28	19 3	19 42	0 36	19 26	19 43	1 19	4 40	4 58	1 13	10 37
27	0S 6	20 19	20 55	0 31	20 1	20 17	1 19	5 15	5 33	1 13	10 33
29	0N15	21 30	22N 2	0 27	20 33	20N49	1 18	5 50	6N 7	1 12	10 29
31	0N35	22N32		0S22	21N 4		1S18	6N25		1N12	10N25

First Quarter—May 9, 3*h.* 44*m.* *p.m.* (19° ♌ 15′)

Full Moon—May 16, 4*h*. 3*m*. *p.m.* (26° ♏ 1′)

D M	☿ Long.	♀ Long.	♂ Long.	♃ Long.	♄ Long.	♅ Long.	♆ Long.	♇ Long.
	° ′	° ′	° ′	° ′	° ′	° ′	° ′	° ′
1	15♈38	29♈49	26♓37	4♍38	17♒54	17♑59	18♑55	21♏52
2	16 58	1♉ 2	27 23	4D38	17 56	17R58	18R55	21R50
3	18 20	2 16	28 9	4 39	17 59	17 58	18 55	21 49
4	19 44	3 30	28 56	4 39	18 1	17 57	18 54	21 47
5	21 11	4 44	29♓42	4 40	18 3	17 56	18 54	21 45
6	22 39	5 58	0♈28	4 41	18 6	17 56	18 53	21 44
7	24 10	7 12	1 14	4 42	18 8	17 55	18 53	21 42
8	25 42	8 25	2 0	4 43	18 10	17 54	18 52	21 40
9	27 17	9 39	2 46	4 45	18 12	17 53	18 52	21 39
10	28♈54	10 53	3 31	4 47	18 13	17 52	18 51	21 37
11	0♉32	12 7	4 17	4 48	18 15	17 51	18 50	21 35
12	2 13	13 21	5 3	4 50	18 17	17 51	18 50	21 34
13	3 56	14 34	5 49	4 53	18 18	17 49	18 49	21 32
14	5 41	15 48	6 35	4 55	18 20	17 48	18 48	21 30
15	7 27	17 2	7 21	4 58	18 21	17 47	18 47	21 29
16	9 16	18 16	8 6	5 0	18 22	17 46	18 47	21 27
17	11 7	19 29	8 52	5 3	18 23	17 45	18 46	21 25
18	13 0	20 43	9 38	5 6	18 24	17 44	18 45	21 23
19	14 55	21 57	10 23	5 10	18 25	17 42	18 44	21 22
20	16 51	23 11	11 9	5 13	18 26	17 41	18 43	21 20
21	18 50	24 24	11 54	5 17	18 27	17 40	18 42	21 19
22	20 51	25 38	12 40	5 20	18 28	17 38	18 41	21 17
23	22 53	26 52	13 25	5 24	18 28	17 37	18 40	21 15
24	24 57	28 5	14 11	5 28	18 29	17 35	18 39	21 14
25	27 3	29♉19	14 56	5 33	18 29	17 34	18 38	21 12
26	29♉10	0♊33	15 41	5 37	18 29	17 32	18 37	21 10
27	1♊19	1 47	16 27	5 41	18 29	17 31	18 36	21 9
28	3 29	3 0	17 12	5 46	18 29	17 29	18 35	21 7
29	5 40	4 14	17 57	5 51	18R29	17 27	18 34	21 6
30	7 51	5 28	18 42	5 56	18 29	17 26	18 33	21 4
31	10♊ 3	6♊42	19♈27	6♍ 1	18♒29	17♑24	18♑32	21♏ 2

D	Lunar Aspects ☉	☿	♀	♂	♃	♄	♅	♆	♇
1			☌	⚺	⚼				
2	☌			∠	△				
3		⚺		✱		□	△	△	☍
4		∠	⚺		□		⚼	⚼	
5	⚺	✱	∠			△			
6	∠		✱	□	✱	⚼			⚼
7	✱	□			∠		☍	☍	△
8			□	△	⚺				
9	□			⚼		☍			□
10		△			☌		⚼	⚼	
11	△	⚼	△				△	△	✱
12			⚼	☍	⚺	⚼			
13	⚼				∠	△	□	□	∠
14									⚺
15		☍			✱				
16	☍		☍	⚼		□	✱	✱	☌
17				△	□		∠	∠	
18						✱	⚺	⚺	⚺
19		⚼	⚼		△	∠			∠
20	⚼	△		□		⚺	☌	●	
21	△		△		⚼				✱
22				✱					
23		□				☌	⚺	⚺	□
24	□		□	∠	☍		∠	∠	
25				⚺		⚺	✱	✱	
26		✱	✱						△
27	✱					∠			⚼
28	∠	∠	∠	☌	⚼	✱	□	□	
29	⚺	⚺	⚺		△				
30				⚺		□	△	△	☍
31			☌	∠	□		⚼	⚼	

D M	Saturn Lat.	Saturn Dec.	Uranus Lat.	Uranus Dec.	Neptune Lat.	Neptune Dec.	Pluto Lat.	Pluto Dec.
	° ′	° ′	° ′	° ′	° ′	° ′	° ′	° ′
1	0S47	16S13	0S25	22S38	0N45	21S22	15N16	3S27
3	0 47	16 12	0 25	22 39	0 45	21 22	15 16	3 26
5	0 48	16 11	0 25	22 39	0 45	21 22	15 16	3 26
7	0 48	16 10	0 25	22 39	0 45	21 22	15 16	3 25
9	0 48	16 9	0 25	22 39	0 45	21 22	15 16	3 24
11	0 49	16 8	0 25	22 40	0 45	21 23	15 16	3 23
13	0 49	16 7	0 25	22 40	0 45	21 23	15 16	3 23
15	0 49	16 7	0 25	22 40	0 45	21 23	15 16	3 22
17	0 50	16 6	0 25	22 41	0 45	21 23	15 15	3 21
19	0 50	16 6	0 25	22 41	0 45	21 23	15 15	3 21
21	0 50	16 6	0 25	22 41	0 45	21 24	15 15	3 20
23	0 51	16 6	0 25	22 42	0 45	21 24	15 15	3 20
25	0 51	16 6	0 25	22 42	0 45	21 24	15 14	3 19
27	0 51	16 6	0 25	22 43	0 45	21 24	15 14	3 19
29	0 52	16 6	0 25	22 43	0 45	21 25	15 14	3 19
31	0S52	16S 7	0S25	22S44	0N45	21S25	15N13	3S18

1. ☿ ± ♇. ♀ **Q** ♄. ☿ **P** ♇.
2. ☉ ∠ ♂.
3. ☿ ✱ ♄. □ ♅, □ ♆.
♄ ⚺ ♅. ♀ **P** ♃.
4. ☿ ⚼ ♃. ☉ **P** ♄.
5. ☿ ⚻ ♇. ♀ △ ♃. ♂ **Q** ♅.
7. ♀ ⊥ ♂. ♂ **Q** ♆.
8. ☉ □ ♄, △ ♅. **9.** ☉ △ ♆.
10. ♂ ∠ ♄. **11.** ☿ **Q** ♄.
12. ☉ ☍ ♇. ♂ ⚻ ♃. **13.** ☿ **P** ♃.
14. ☿ △ ♃. ♂ ⚼ ♇.
15. ☿ ⚺ ♂. ♀ **P** ♄.
16. ♀ □ ♄, △ ♅, △ ♆.
19. ♀ ☍ ♇. **20.** ☿ ⊥ ♂, △ ♅.
♂ ± ♃.
21. ☿ □ ♄, △ ♆. ☿ **P** ♄. ♂ **P** ♇.
22. ☿ ☍ ♇. **23.** ☉ ⚼ ♅.
24. ☉ ⚼ ♆. **25.** ♂ ± ♇.
26. ☉ □ ♃. ♀ ∠ ♂. ☿ **P** ♀.
27. ☿ ☌ ♀, ∠ ♂. ☉ **P** ♆.
28. ☿ ⚼ ♅, ⚼ ♆. ♀ ⚼ ♅, ⚼ ♆.
♂ □ ♅. ♄ **Stat.**
29. ☿ □ ♃. ☿ **P** ♆.
30. ♀ □ ♃. ♂ ✱ ♄, □ ♆. ☉ **P** ☿.
31. ☉ ☌ ☿. ☿ **P** ♅.

Last Quarter—May 24, 3*h*. 53*m*. *p.m.* (3° ♓ 43′)

New Moon—June 1, *3h. 57m. a.m.* (10° ♊ 55′) and June 30, *0h.* 18*m. p.m.* (8° ♋ 57′)

D M	D W	Sidereal Time	☉ Long.	☉ Dec.	☽ Long.	☽ Lat.	☽ Dec.	☽ Node	MIDNIGHT ☽ Long.	MIDNIGHT ☽ Dec
		H. M. S.	° ′ ″	° ′	° ′ ″	° ′	° ′	° ′	° ′ ″	° ′
1	M	4 40 52	11 ♊ 13 59	22N 8	15 ♊ 40 48	1N22	24N 2	1 ♑ 44	22 ♊ 49 45	23N58
2	T	4 44 49	12 11 30	22 15	0 ♋ 1 29	0N 4	23 30	1 40	7 ♋ 15 19	22 38
3	W	4 48 45	13 8 59	22 23	14 30 34	1S16	21 24	1 37	21 46 33	19 48
4	Th	4 52 42	14 6 27	22 30	29 2 37	2 30	17 54	1 34	6 ♌ 18 9	15 43
5	F	4 56 38	15 3 54	22 36	13 ♌ 32 35	3 35	13 19	1 31	20 45 24	10 44
6	S	5 0 35	16 1 19	22 42	27 56 10	4 26	8 1	1 28	5 ♍ 4 32	5N13
7	Su	5 4 31	16 58 44	22 48	12 ♍ 10 10	5 0	2N22	1 25	19 12 50	0S29
8	M	5 8 28	17 56 7	22 54	26 12 20	5 15	3S19	1 21	3 ♎ 8 32	6 5
9	T	5 12 25	18 53 29	22 59	10 ♎ 1 19	5 12	8 45	1 18	16 50 37	11 18
10	W	5 16 21	19 50 50	23 3	23 36 23	4 52	13 41	1 15	0 ♏ 18 35	15 52
11	Th	5 20 18	20 48 10	23 7	6 ♏ 57 14	4 15	17 51	1 12	13 32 19	19 36
12	F	5 24 14	21 45 29	23 11	20 3 52	3 26	21 4	1 9	26 31 54	22 16
13	S	5 28 11	22 42 48	23 14	2 ♐ 56 30	2 28	23 10	1 5	9 ♐ 17 42	23 45
14	Su	5 32 7	23 40 5	23 17	15 35 37	1 23	24 2	1 2	21 50 20	24 0
15	M	5 36 4	24 37 22	23 20	28 1 59	0S15	23 40	0 59	4 ♑ 10 45	23 3
16	T	5 40 0	25 34 39	23 22	10 ♑ 16 48	0N53	22 10	0 56	16 20 21	21 1
17	W	5 43 57	26 31 55	23 24	22 21 41	1 58	19 39	0 53	28 21 5	18 5
18	Th	5 47 54	27 29 10	23 25	4 ♒ 18 52	2 56	16 20	0 50	10 ♒ 15 24	14 25
19	F	5 51 50	28 26 25	23 26	16 11 5	3 47	12 23	0 46	22 6 20	10 13
20	S	5 55 47	29 ♊ 23 40	23 26	28 1 38	4 27	7 58	0 43	3 ♓ 57 28	5 39
21	Su	5 59 43	0 ♋ 20 54	23 26	9 ♓ 54 21	4 57	3S16	0 40	15 52 48	0S51
22	M	6 3 40	1 18 8	23 26	21 53 24	5 14	1N35	0 37	27 56 40	4N 2
23	T	6 7 36	2 15 22	23 25	4 ♈ 3 11	5 17	6 27	0 34	10 ♈ 13 30	8 51
24	W	6 11 33	3 12 36	23 24	16 28 9	5 5	11 10	0 31	22 47 36	13 25
25	Th	6 15 29	4 9 50	23 22	29 12 20	4 39	15 32	0 27	5 ♉ 42 44	17 31
26	F	6 19 26	5 7 5	23 20	12 ♉ 19 7	3 57	19 18	0 24	19 1 41	20 52
27	S	6 23 23	6 4 19	23 18	25 50 34	3 2	22 9	0 21	2 ♊ 45 45	23 9
28	Su	6 27 19	7 1 33	23 15	9 ♊ 47 5	1 54	23 47	0 18	16 54 15	24 3
29	M	6 31 16	7 58 47	23 12	24 6 49	0N36	23 55	0 15	1 ♋ 24 11	23 22
30	T	6 35 12	8 ♋ 56 1	23N 8	8 ♋ 45 38	0S45	22N25	0 ♑ 11	16 ♋ 10 17	21N 4

D M	Mercury Lat.	Mercury Dec.		Venus Lat.	Venus Dec.		Mars Lat.	Mars Dec.		Jupiter Lat.	Jupiter Dec.
	° ′	° ′	° ′	° ′	° ′	° ′	° ′	° ′	° ′	° ′	° ′
1	0N45	23N 1	23N26	0S20	21N18	21N32	1S18	6N42	6N59	1N12	10N23
3	1 4	23 49	24 10	0 15	21 46	21 58	1 17	7 16	7 33	1 12	10 19
5	1 20	24 28	24 43	0 10	22 10	22 22	1 17	7 49	8 6	1 11	10 14
7	1 34	24 55	25 5	0 5	22 32	22 42	1 16	8 23	8 39	1 11	10 9
9	1 45	25 11	25 15	0S 1	22 52	23 1	1 16	8 56	9 12	1 11	10 4
11	1 53	25 17	25 16	0N 4	23 9	23 16	1 15	9 28	9 44	1 10	9 59
13	1 59	25 12	25 7	0 9	23 23	23 29	1 14	10 0	10 16	1 10	9 53
15	2 1	24 59	24 49	0 14	23 35	23 39	1 14	10 32	10 48	1 10	9 48
17	2 0	24 37	24 23	0 18	23 43	23 47	1 13	11 3	11 19	1 9	9 42
19	1 57	24 7	23 50	0 23	23 49	23 51	1 12	11 34	11 49	1 9	9 36
21	1 50	23 32	23 12	0 27	23 52	23 53	1 11	12 4	12 19	1 9	9 30
23	1 41	22 51	22 29	0 32	23 53	23 52	1 11	12 34	12 49	1 9	9 23
25	1 30	22 7	21 43	0 36	23 50	23 48	1 10	13 3	13 18	1 8	9 17
27	1 16	21 18	20 53	0 41	23 45	23 41	1 9	13 32	13 46	1 8	9 10
29	1 0	20 27	20N 1	0 45	23 37	23N32	1 8	14 0	14N14	1 8	9 3
31	0N41	19N34		0N49	23N26		1S 7	14N28		1N 8	8N56

First Quarter—June 7, *8h. 47m. p.m.* (17° ♍ 20′)

Full Moon—June 15, 4*h.* 50*m.* *a.m.* (24° ♐ 20′)

D M	☿ Long.	♀ Long.	♂ Long.	♃ Long.	♄ Long.	♅ Long.	♆ Long.	♇ Long.	☉	☿	♀	♂	♃	♄	♅	♆	♇
	° ′	° ′	° ′	° ′	° ′	° ′	° ′	° ′	Lunar Aspects								
1	12♊15	7♊55	20♈12	6♍ 7	18♒29	17♑22	18♑31	21♏ 1	☌	●		⚹		△			
2	14 27	9 9	20 57	6 12	18R28	17R20	18R29	20R59					⚹	⚼			⚼
3	16 39	10 23	21 42	6 18	18 28	17 19	18 28	20 58	⚺	⚺	⚺		∠		☍	☍	△
4	18 50	11 36	22 27	6 23	18 27	17 17	18 27	20 56	∠	∠	∠	□					
5	21 0	12 50	23 12	6 29	18 26	17 15	18 26	20 55	⚹		⚹		⚺	☍			
6	23 9	14 4	23 57	6 35	18 25	17 13	18 24	20 53		⚹		△			⚼	⚼	□
7	25 16	15 18	24 41	6 42	18 25	17 11	18 23	20 52	□		□	⚼	☌		△	△	
8	27 23	16 31	25 26	6 48	18 23	17 9	18 22	20 50		□							⚹
9	29♊27	17 45	26 11	6 54	18 22	17 7	18 20	20 49					⚺	⚼			∠
10	1♋29	18 59	26 55	7 1	18 21	17 5	18 19	20 48	△		△	☍	∠	△	□	□	⚺
11	3 30	20 12	27 40	7 8	18 20	17 3	18 18	20 46	⚼	△	⚼		⚹				
12	5 28	21 26	28 24	7 15	18 18	17 1	18 16	20 45		⚼				□	⚹	⚹	☌
13	7 24	22 40	29 8	7 22	18 17	16 59	18 15	20 43					□		∠	∠	
14	9 18	23 53	29♈53	7 29	18 15	16 57	18 13	20 42				⚼		⚹	⚺	⚺	⚺
15	11 10	25 7	0♉37	7 36	18 14	16 54	18 12	20 41	●-●		☍	△		∠			
16	12 59	26 21	1 21	7 43	18 12	16 52	18 11	20 40		☍			△				∠
17	14 46	27 35	2 5	7 51	18 10	16 50	18 9	20 38					⚼	⚺	☌	●	⚹
18	16 31	28♊48	2 49	7 59	18 8	16 48	18 8	20 37				□					
19	18 13	0♋ 2	3 33	8 6	18 6	16 46	18 6	20 36	⚼		⚼			☌	⚺	⚺	□
20	19 53	1 16	4 17	8 14	18 4	16 43	18 5	20 35	△		△				∠	∠	
21	21 30	2 29	5 1	8 22	18 2	16 41	18 3	20 33		⚼		⚹	☍				
22	23 5	3 43	5 45	8 30	18 0	16 39	18 2	20 32		△		∠		⚺	⚹	⚹	△
23	24 38	4 57	6 29	8 39	17 57	16 36	18 0	20 31	□		□	⚺		∠			⚼
24	26 8	6 11	7 12	8 47	17 55	16 34	17 58	20 30						⚹	□	□	
25	27 36	7 24	7 56	8 55	17 52	16 32	17 57	20 29	⚹	□			⚼				
26	29♋ 1	8 38	8 40	9 4	17 50	16 29	17 55	20 28			⚹	☌	△	□	△	△	
27	0♌23	9 52	9 23	9 13	17 47	16 27	17 54	20 27	∠	⚹	∠				⚼		☍
28	1 43	11 5	10 6	9 21	17 44	16 25	17 52	20 26	⚺		⚺	⚺	□			⚼	
29	3 1	12 19	10 50	9 30	17 41	16 22	17 51	20 25		∠		∠		△			
30	4♌15	13♋33	11♉33	9♍39	17♒38	16♑20	17♑49	20♏24	●	⚺	☌	⚹	⚹	⚼			⚼

D M	Saturn Lat.	Saturn Dec.	Uranus Lat.	Uranus Dec.	Neptune Lat.	Neptune Dec.	Pluto Lat.	Pluto Dec.
	° ′	° ′	° ′	° ′	° ′	° ′	° ′	° ′
1	0 S 52	16 S 7	0 S 25	22 S 44	0 N 45	21 S 25	15 N 13	3 S 18
3	0 52	16 8	0 25	22 44	0 45	21 25	15 12	3 18
5	0 53	16 8	0 25	22 45	0 45	21 26	15 12	3 18
7	0 53	16 9	0 25	22 45	0 45	21 26	15 11	3 17
9	0 53	16 10	0 26	22 46	0 45	21 26	15 11	3 17
11	0 54	16 11	0 26	22 47	0 45	21 27	15 10	3 17
13	0 54	16 12	0 26	22 47	0 45	21 27	15 9	3 17
15	0 54	16 14	0 26	22 48	0 45	21 28	15 9	3 17
17	0 55	16 15	0 26	22 48	0 45	21 28	15 8	3 17
19	0 55	16 17	0 26	22 49	0 45	21 28	15 7	3 17
21	0 55	16 18	0 26	22 49	0 45	21 29	15 6	3 18
23	0 56	16 20	0 26	22 50	0 45	21 29	15 6	3 18
25	0 56	16 22	0 26	22 51	0 45	21 30	15 5	3 18
27	0 56	16 24	0 26	22 51	0 45	21 30	15 4	3 18
29	0 56	16 26	0 26	22 52	0 45	21 30	15 3	3 19
31	0 S 57	16 S 28	0 S 26	22 S 52	0 N 45	21 S 31	15 N 2	3 S 19

1. ☉ ± ♅. ☿ ± ♅, ± ♆. ♀ **P** ♆.
2. ☉ ± ♆. ♂ ⚼ ♃, ⚻ ♇.
3. ☿ ⚻ ♅.
4. ☿ △ ♄, ⚻ ♆. ♀ ± ♅. ♄ ⚺ ♆.
5. ☿ ⚻ ♇. ♀ ± ♆. **6.** ☉ **P** ♅.
7. ☉ ⚻ ♅. ☿ ⚹ ♂, **Q** ♃.
8. ☉ △ ♄, ⚻ ♆. ☿ ± ♇.
♀ ⚻ ♅. ♀ **P** ♅.
9. ♀ ⚻ ♆. **10.** ♀ △ ♄.
11. ☉ ⚻ ♇. ☿ ⚼ ♄. ♀ ⚻ ♇.
☉ **P** ♀.
12. ☿ ⚼ ♇.
13. ☉ ☌ ♀. ☿ ⚹ ♃. ♂ **P** ♃.
14. ♂ **Q** ♄. **15.** ♀ **Q** ♃.
16. ☉ **Q** ♃. ☿ **Q** ♂, ± ♄. ♀ ± ♇.
17. ☉ ± ♇. **18.** ☿ ☍ ♅.
19. ☿ ⚻ ♄, ☍ ♆. ♄ ⚺ ♆.
20. ☿ △ ♇. ☿ **P** ♀.
21. ♀ ⚼ ♄. ☉ **P** ☿.
22. ☿ ∠ ♃. ♃ **Q** ♇.
23. ♀ ⚼ ♇. ☿ **P** ♅.
24. ☉ ⚼ ♄.
26. ☉ ⚼ ♇. ♀ ⚹ ♂, ⚹ ♃.
27. ♂ △ ♃. ☿ **P** ♆.
29. ☿ ⊥ ♃. ♀ ± ♄.

Last Quarter—June 23, 8*h.* 11*m.* *a.m.* (2° ♈ 6′)

NEW MOON—July 29, 7*h.* 35*m.* *p.m.* (6° ♌ 54′)

D M	D W	Sidereal Time H. M. S.	☉ Long. ° ′ ″	☉ Dec. ° ′	☽ Long. ° ′ ″	☽ Lat. ° ′	☽ Dec. ° ′	☽ Node ° ′	MIDNIGHT ☽ Long. ° ′ ″	MIDNIGHT ☽ Dec ° ′
1	W	6 39 9	9♋53 15	23N 4	23♋37 14	2S 4	19N21	0♑ 8	1♌ 5 26	17N18
2	TH	6 43 5	10 50 28	23 0	8♌33 53	3 15	14 59	0 5	16 1 33	12 27
3	F	6 47 2	11 47 42	22 55	23 27 29	4 12	9 44	0♑ 2	0♍50 46	6 53
4	S	6 50 58	12 44 55	22 50	8♍10 39	4 53	3N59	29♐59	15 26 28	1N 3
5	SU	6 54 55	13 42 7	22 44	22 37 42	5 13	1S52	29 56	29 43 58	4S44
6	M	6 58 52	14 39 20	22 38	6♎45 2	5 15	7 30	29 52	13♎40 47	10 8
7	T	7 2 48	15 36 32	22 32	20 31 11	4 58	12 36	29 49	27 16 22	14 54
8	W	7 6 45	16 33 44	22 25	3♏56 27	4 25	16 59	29 46	10♏31 40	18 49
9	TH	7 10 41	17 30 56	22 18	17 2 18	3 38	20 25	29 43	23 28 37	21 44
10	F	7 14 38	18 28 8	22 10	29 50 55	2 42	22 46	29 40	6♐ 9 32	23 30
11	S	7 18 34	19 25 20	22 2	12♐24 46	1 39	23 55	29 37	18 36 54	24 3
12	SU	7 22 31	20 22 32	21 54	24 46 15	0S33	23 53	29 33	0♑53 5	23 25
13	M	7 26 27	21 19 44	21 45	6♑57 39	0N34	22 41	29 30	13 0 12	21 41
14	T	7 30 24	22 16 57	21 36	19 1 0	1 39	20 27	29 27	25 0 16	19 0
15	W	7 34 21	23 14 9	21 26	0♒58 14	2 39	17 21	29 24	6♒55 9	15 32
16	TH	7 38 17	24 11 22	21 17	12 51 16	3 31	13 34	29 21	18 46 49	11 29
17	F	7 42 14	25 8 36	21 6	24 42 6	4 15	9 17	29 17	0♊37 25	7 0
18	S	7 46 10	26 5 50	20 56	6♓33 4	4 47	4S40	29 14	12 29 25	2S17
19	SU	7 50 7	27 3 4	20 45	18 26 49	5 7	0N 8	29 11	24 25 43	2N33
20	M	7 54 3	28 0 20	20 34	0♈26 31	5 13	4 58	29 8	6♈29 41	7 21
21	T	7 58 0	28 57 36	20 22	12 35 43	5 6	9 40	29 5	18 45 6	11 55
22	W	8 1 56	29♋54 52	20 10	24 58 22	4 45	14 5	29 2	1♉16 1	16 7
23	TH	8 5 53	0♌52 10	19 58	7♉38 34	4 9	17 59	28 58	14 6 31	19 40
24	F	8 9 50	1 49 29	19 45	20 40 17	3 20	21 8	28 55	27 20 17	22 20
25	S	8 13 46	2 46 48	19 32	4♊ 6 48	2 18	23 14	28 52	11♊ 0 3	23 48
26	SU	8 17 43	3 44 9	19 19	18 0 6	1N 7	24 1	28 49	25 6 53	23 50
27	M	8 21 39	4 41 30	19 5	2♋20 10	0S11	23 14	28 46	9♋39 30	22 15
28	T	8 25 36	5 38 53	18 52	17 4 16	1 30	20 52	28 42	24 33 39	19 6
29	W	8 29 32	6 36 16	18 37	2♌ 6 39	2 44	17 1	28 39	9♌42 9	14 38
30	TH	8 33 29	7 33 40	18 23	17 18 54	3 48	12 1	28 36	24 55 34	9 13
31	F	8 37 25	8♌31 5	18N 8	2♍30 53	4S35	6N18	28♐33	10♍ 3 34	3N18

D M	Mercury Lat. ° ′	Mercury Dec. ° ′	Mercury Dec. ° ′	Venus Lat. ° ′	Venus Dec. ° ′	Venus Dec. ° ′	Mars Lat. ° ′	Mars Dec. ° ′	Mars Dec. ° ′	Jupiter Lat. ° ′	Jupiter Dec. ° ′
1	0N41	19N34	19N 8	0N49	23N26	23N19	1S 7	14N28	14N41	1N 8	8N56
3	0N21	18 41	18 14	0 53	23 12	23 4	1 6	14 54	15 8	1 7	8 49
5	0S 1	17 47	17 20	0 56	22 56	22 46	1 5	15 21	15 34	1 7	8 41
7	0 25	16 54	16 27	1 0	22 36	22 26	1 4	15 46	15 59	1 7	8 34
9	0 51	16 2	15 37	1 3	22 15	22 3	1 2	16 11	16 24	1 7	8 26
11	1 17	15 12	14 49	1 7	21 50	21 37	1 1	16 36	16 48	1 6	8 18
13	1 45	14 26	14 4	1 10	21 23	21 9	1 0	16 59	17 11	1 6	8 10
15	2 13	13 44	13 24	1 13	20 54	20 38	0 59	17 22	17 34	1 6	8 2
17	2 41	13 7	12 50	1 15	20 22	20 5	0 58	17 45	17 56	1 6	7 54
19	3 9	12 35	12 22	1 18	19 48	19 30	0 56	18 6	18 17	1 6	7 46
21	3 36	12 11	12 2	1 20	19 12	18 53	0 55	18 27	18 37	1 5	7 37
23	4 1	11 55	11 50	1 22	18 33	18 13	0 53	18 48	18 57	1 5	7 29
25	4 22	11 47	11 47	1 24	17 53	17 32	0 52	19 7	19 17	1 5	7 20
27	4 39	11 48	11 52	1 25	17 10	16 48	0 50	19 26	19 35	1 5	7 11
29	4 51	11 59	12N 7	1 26	16 26	16N 3	0 49	19 44	19N53	1 5	7 2
31	4S57	12N17		1N27	15N39		0S47	20N 1		1N 5	6N53

FIRST QUARTER—July 7, 2*h.* 43*m.* *a.m.* (15° ♎ 14′)

Full Moon—July 14, 7*h.* 6*m.* *p.m.* (22° ♑ 34′)

D M	☿ Long.	♀ Long.	♂ Long.	♃ Long.	♄ Long.	♅ Long.	♆ Long.	♇ Long.	☉	☿	♀	♂	♃	♄	♅	♆	♇
	° ′	° ′	° ′	° ′	° ′	° ′	° ′	° ′	Lunar Aspects								
1	5♌27	14♋47	12♉16	9♍49	17♒35	16♑17	17♑47	20♏23					∠		☍	☍	△
2	6 37	16 1	12 59	9 58	17R32	16R15	17R46	20R22	⊻	☌		□	⊻				
3	7 43	17 14	13 42	10 7	17 29	16 13	17 44	20 21	∠		⊻			☍			□
4	8 46	18 28	14 25	10 16	17 26	16 10	17 43	20 20	✱	⊻	∠	△	☌		⚼	⚼	
5	9 47	19 42	15 8	10 26	17 23	16 8	17 41	20 19		∠	✱				△	△	✱
6	10 44	20 56	15 51	10 36	17 19	16 5	17 39	20 19		✱		⚼	⊻	⚼			∠
7	11 38	22 9	16 34	10 45	17 16	16 3	17 38	20 18	□		□		∠	△	□	□	⊻
8	12 29	23 23	17 16	10 55	17 13	16 1	17 36	20 17									
9	13 16	24 37	17 59	11 5	17 9	15 58	17 34	20 16	△	□		☍	✱	□	✱	✱	☌
10	14 0	25 51	18 41	11 15	17 5	15 56	17 33	20 16	⚼		△				∠	∠	
11	14 40	27 4	19 23	11 25	17 2	15 53	17 31	20 15		△	⚼		□	✱	⊻	⊻	
12	15 16	28 18	20 6	11 35	16 58	15 51	17 30	20 14		⚼							⊻
13	15 48	29♋32	20 48	11 45	16 54	15 48	17 28	20 14				⚼	△	∠			∠
14	16 16	0♌46	21 30	11 56	16 50	15 46	17 26	20 13	☍			△		⊻	☌	●	✱
15	16 39	2 0	22 12	12 6	16 47	15 44	17 25	20 13			☍		⚼				
16	16 58	3 13	22 54	12 17	16 43	15 41	17 23	20 12		☍				☌	⊻	⊻	
17	17 13	4 27	23 36	12 27	16 39	15 39	17 22	20 12				□					□
18	17 23	5 41	24 17	12 38	16 35	15 37	17 20	20 11	⚼						∠	∠	
19	17 28	6 55	24 59	12 48	16 31	15 34	17 18	20 11			⚼		☍	⊻	✱	✱	△
20	17R28	8 8	25 41	12 59	16 26	15 32	17 17	20 11	△	⚼		✱		∠			⚼
21	17 23	9 22	26 22	13 10	16 22	15 29	17 15	20 10		△	△	∠		✱	□	□	
22	17 14	10 36	27 4	13 21	16 18	15 27	17 14	20 10	□			⊻	⚼				
23	16 59	11 50	27 45	13 32	16 14	15 25	17 12	20 10			□		△				
24	16 40	13 4	28 26	13 43	16 10	15 23	17 10	20 10		□				□	△	△	☍
25	16 16	14 17	29 7	13 54	16 5	15 20	17 9	20 9	✱			☌			⚼	⚼	
26	15 47	15 31	29♉48	14 5	16 1	15 18	17 7	20 9	∠	✱	✱		□	△			
27	15 15	16 45	0♊29	14 17	15 57	15 16	17 6	20 9	⊻	∠	∠	⊻		⚼			⚼
28	14 39	17 59	1 10	14 28	15 52	15 14	17 4	20 9		⊻	⊻	∠	✱		☍	☍	△
29	14 0	19 13	1 50	14 39	15 48	15 11	17 3	20 9	☌			✱	∠				
30	13 18	20 27	2 31	14 51	15 44	15 9	17 1	20 9		●	☌		⊻	☍			□
31	12♌34	21♌40	3♊11	15♍2	15♒39	15♑7	17♑0	20♏9	⊻			□			⚼	⚼	

D M	Saturn Lat.	Saturn Dec.	Uranus Lat.	Uranus Dec.	Neptune Lat.	Neptune Dec.	Pluto Lat.	Pluto Dec.
	° ′	° ′	° ′	° ′	° ′	° ′	° ′	° ′
1	0 S 57	16 S 28	0 S 26	22 S 52	0 N 45	21 S 31	15 N 2	3 S 19
3	0 57	16 30	0 26	22 53	0 45	21 31	15 1	3 20
5	0 57	16 32	0 26	22 54	0 45	21 32	15 0	3 20
7	0 58	16 35	0 26	22 54	0 45	21 32	14 59	3 21
9	0 58	16 37	0 26	22 55	0 45	21 33	14 58	3 21
11	0 58	16 39	0 26	22 55	0 45	21 33	14 57	3 22
13	0 58	16 42	0 26	22 56	0 45	21 33	14 56	3 23
15	0 59	16 44	0 26	22 57	0 45	21 34	14 55	3 23
17	0 59	16 47	0 26	22 57	0 45	21 34	14 54	3 24
19	0 59	16 50	0 26	22 58	0 45	21 35	14 53	3 25
21	0 59	16 52	0 26	22 58	0 45	21 35	14 52	3 26
23	1 0	16 55	0 26	22 59	0 45	21 36	14 51	3 27
25	1 0	16 58	0 26	22 59	0 45	21 36	14 50	3 28
27	1 0	17 1	0 26	23 0	0 45	21 36	14 49	3 29
29	1 0	17 4	0 26	23 0	0 45	21 37	14 48	3 30
31	1 S 0	17 S 6	0 S 26	23 S 1	0 N 45	21 S 37	14 N 47	3 S 31

1. ☉ ✱ ♃. **2.** ♀ ☍ ♅.
3. ☉ ± ♄. ♀ ⚻ ♄, ☍ ♆.
☉ **P** ♅.
5. ♀ **P** ♅.
6. ☿ ⊻ ♃. ♀ △ ♇. ♂ △ ♅.
7. ☉ ☍ ♅.
8. ♂ □ ♄, △ ♆. ☉ **P** ♀. ☿ **P** ♄.
9. ☉ ⚻ ♄, ☍ ♆. ☿ **P** ♂.
10. ♀ ∠ ♃.
11. ☉ ✱ ♂. ♂ **P** ♄.
12. ☉ △ ♇. ♂ ☍ ♇. ♀ **P** ♆.
13. ☿ ⚻ ♅. **14.** ☉ **P** ♆.
15. ☿ ☍ ♄. **18.** ☿ ⚻ ♆.
19. ♀ **Q** ♂, ⊥ ♃.
20. ☉ ∠ ♃. ☿ **Stat.**
22. ☿ ⚻ ♆. **23.** ♀ **P** ♂.
25. ☿ ☍ ♄. ♀ ⊻ ♃.
26. ☿ ☌ ♀. ♀ ☍ ♄, ⚻ ♅.
☉ **P** ♂.
27. ☿ ⚻ ♅. ♀ ⚻ ♆. ♂ ⚼ ♅.
♀ **P** ♄.
28. ☿ ⊻ ♃.
29. ☿ **Q** ♂. ♂ ⚼ ♆.
30. ♀ □ ♇. ♇ **Stat.**
31. ♀ ± ♅ ♃ △ ♅.

Last Quarter—July 22, 10*h.* 12*m.* *p.m.* (0° ♉ 19′)

NEW MOON—August 28, 2*h.* 42*m.* *a.m.* (5° ♍ 3′)

D M	D W	Sidereal Time	☉ Long.	☉ Dec.	☽ Long.	☽ Lat.	☽ Dec.	☽ Node	MIDNIGHT ☽ Long.	MIDNIGHT ☽ Dec
		H. M. S.	° ′ ″	° ′	° ′ ″	° ′	° ′	° ′	° ′ ″	° ′
1	S	8 41 22	9♌28 30	17N53	17♍32 30	5S 3	0N16	28♐30	24♍56 41	2S43
2	Su	8 45 19	10 25 56	17 38	2♎15 19	5 10	5S38	28 27	9♎27 46	8 26
3	M	8 49 15	11 23 23	17 22	16 33 39	4 57	11 5	28 23	23 32 45	13 32
4	T	8 53 12	12 20 50	17 6	0♏25 0	4 27	15 47	28 20	7♏10 34	17 48
5	W	8 57 8	13 18 18	16 50	13 49 40	3 44	19 33	28 17	20 22 39	21 1
6	Th	9 1 5	14 15 47	16 33	26 49 56	2 49	22 12	28 14	3♐12 1	23 5
7	F	9 5 1	15 13 17	16 16	9♐29 23	1 48	23 39	28 11	15 42 34	23 56
8	S	9 8 58	16 10 47	15 59	21 52 4	0S43	23 55	28 8	27 58 23	23 36
9	Su	9 12 54	17 8 19	15 42	4♑2 0	0N22	23 0	28 4	10♑3 23	22 9
10	M	9 16 51	18 5 51	15 24	16 2 55	1 26	21 3	28 1	22 1 1	19 43
11	T	9 20 48	19 3 24	15 7	27 58 0	2 25	18 12	27 58	3♒54 11	16 29
12	W	9 24 44	20 0 58	14 49	9♒49 52	3 18	14 36	27 55	15 45 16	12 36
13	Th	9 28 41	20 58 33	14 30	21 40 39	4 2	10 28	27 52	27 36 14	8 14
14	F	9 32 37	21 56 10	14 12	3♓32 11	4 35	5 56	27 48	9♓28 44	3S35
15	S	9 36 34	22 53 48	13 53	15 26 5	4 56	1S11	27 45	21 24 26	1N14
16	Su	9 40 30	23 51 27	13 34	27 24 3	5 5	3N38	27 42	3♈25 10	6 1
17	M	9 44 27	24 49 7	13 15	9♈28 4	5 0	8 21	27 39	15 33 5	10 37
18	T	9 48 23	25 46 49	12 56	21 40 33	4 41	12 48	27 36	27 50 52	14 52
19	W	9 52 20	26 44 33	12 36	4♉4 26	4 10	16 47	27 33	10♉21 41	18 33
20	Th	9 56 17	27 42 18	12 16	16 43 5	3 25	20 6	27 29	23 9 6	21 26
21	F	10 0 13	28 40 5	11 56	29 40 13	2 29	22 30	27 26	6♊16 51	23 17
22	S	10 4 10	29♌37 54	11 36	12♊59 24	1 23	23 44	27 23	19 48 15	23 50
23	Su	10 8 6	0♍35 45	11 16	26 43 37	0N11	23 35	27 20	3♋45 39	22 56
24	M	10 12 3	1 33 37	10 55	10♋54 20	1S 5	21 55	27 17	18 9 28	20 32
25	T	10 15 59	2 31 31	10 35	25 30 41	2 18	18 47	27 14	2♌57 23	16 43
26	W	10 19 56	3 29 27	10 14	10♌28 45	3 23	14 21	27 10	18 3 45	11 45
27	Th	10 23 52	4 27 24	9 53	25 41 12	4 15	8 57	27 7	3♍19 47	6N 1
28	F	10 27 49	5 25 23	9 31	10♍58 5	4 49	3N 0	27 4	18 34 41	0S 4
29	S	10 31 46	6 23 23	9 10	26 8 13	5 2	3S 5	27 1	3♎37 27	6 3
30	Su	10 35 42	7 21 25	8 49	11♎1 18	4 55	8S53	26 58	18 18 54	11 33
31	M	10 39 39	8♍19 29	8N27	25♎29 37	4S28	14S 1	26♐54	2♏33 2	16S15

D M	Mercury Lat.	Mercury Dec.		Venus Lat.	Venus Dec.		Mars Lat.	Mars Dec.		Jupiter Lat.	Jupiter Dec.
	° ′	° ′	° ′	° ′	° ′	° ′	° ′	° ′	° ′	° ′	° ′
1	4S57	12N29	12N43	1N28	15N16	14N52	0S47	20N10	20N18	1N 5	6N49
3	4 52	12 58	13 15	1 28	14 27	14 2	0 45	20 26	20 34	1 5	6 40
5	4 39	13 33	13 51	1 28	13 37	13 11	0 43	20 41	20 49	1 4	6 30
7	4 20	14 10	14 29	1 29	12 45	12 19	0 42	20 56	21 3	1 4	6 21
9	3 56	14 48	15 6	1 28	11 52	11 25	0 40	21 10	21 17	1 4	6 12
11	3 27	15 24	15 42	1 28	10 58	10 30	0 38	21 24	21 30	1 4	6 2
13	2 54	15 58	16 13	1 27	10 2	9 34	0 36	21 36	21 42	1 4	5 52
15	2 20	16 26	16 38	1 26	9 6	8 37	0 34	21 48	21 54	1 4	5 43
17	1 45	16 48	16 55	1 25	8 9	7 39	0 33	21 59	22 4	1 4	5 33
19	1 11	17 1	17 4	1 23	7 10	6 41	0 31	22 10	22 14	1 4	5 23
21	0 38	17 4	17 2	1 21	6 11	5 41	0 29	22 19	22 24	1 4	5 13
23	0S 8	16 57	16 49	1 19	5 11	4 41	0 27	22 28	22 32	1 4	5 4
25	0N20	16 38	16 25	1 17	4 11	3 41	0 25	22 37	22 40	1 4	4 54
27	0 44	16 8	15 48	1 14	3 10	2 40	0 22	22 44	22 48	1 4	4 44
29	1 4	15 25	15N 0	1 11	2 9	1N38	0 20	22 51	22N54	1 4	4 33
31	1N20	14N32		1N 8	1N 7		0S18	22N57		1N 4	4N23

FIRST QUARTER—August 5, 10*h.* 59*m.* *a.m.* (13° ♏ 16′)

FULL MOON—August 13, 10*h.* 27*m.* *a.m.* (20° ♒ 55′)

D M	☿ Long.	♀ Long.	♂ Long.	♃ Long.	♄ Long.	♅ Long.	♆ Long.	♇ Long.
	° ′	° ′	° ′	° ′	° ′	° ′	° ′	° ′
1	11♌49	22♌54	3♊52	15♍14	15♒35	15♑ 5	16♑58	20♏ 9
2	11R 3	24 8	4 32	15 26	15R30	15R 3	16R57	20D 9
3	10 18	25 22	5 12	15 37	15 26	15 1	16 55	20 9
4	9 34	26 36	5 52	15 49	15 21	14 59	16 54	20 9
5	8 52	27 50	6 32	16 1	15 17	14 57	16 53	20 9
6	8 13	29♌ 3	7 12	16 13	15 12	14 54	16 51	20 10
7	7 38	0♍17	7 51	16 25	15 8	14 53	16 50	20 10
8	7 7	1 31	8 31	16 37	15 3	14 51	16 48	20 10
9	6 41	2 45	9 10	16 49	14 59	14 49	16 47	20 10
10	6 21	3 59	9 50	17 1	14 54	14 47	16 46	20 11
11	6 7	5 12	10 29	17 13	14 50	14 45	16 44	20 11
12	5 59	6 26	11 8	17 25	14 45	14 43	16 43	20 12
13	5D59	7 40	11 47	17 37	14 41	14 41	16 42	20 12
14	6 5	8 54	12 26	17 50	14 37	14 39	16 41	20 13
15	6 18	10 7	13 4	18 2	14 32	14 38	16 39	20 13
16	6 39	11 21	13 43	18 14	14 28	14 36	16 38	20 14
17	7 7	12 35	14 21	18 27	14 23	14 34	16 37	20 14
18	7 43	13 49	15 0	18 39	14 19	14 33	16 36	20 15
19	8 25	15 2	15 38	18 51	14 15	14 31	16 35	20 15
20	9 15	16 16	16 16	19 4	14 10	14 30	16 33	20 16
21	10 11	17 30	16 54	19 16	14 6	14 28	16 32	20 17
22	11 15	18 44	17 32	19 29	14 2	14 27	16 31	20 18
23	12 24	19 57	18 9	19 41	13 58	14 25	16 30	20 18
24	13 40	21 11	18 47	19 54	13 53	14 24	16 29	20 19
25	15 2	22 25	19 24	20 7	13 49	14 22	16 28	20 20
26	16 28	23 39	20 1	20 19	13 45	14 21	16 27	20 21
27	18 0	24 52	20 38	20 32	13 41	14 20	16 26	20 22
28	19 36	26 6	21 15	20 45	13 37	14 19	16 25	20 23
29	21 16	27 20	21 52	20 58	13 33	14 17	16 24	20 24
30	22 59	28 34	22 29	21 10	13 29	14 16	16 24	20 25
31	24♌46	29♍47	23♊ 5	21♍23	13♒25	14♑15	16♑23	20♏26

D M	Lunar Aspects ☉	☿	♀	♂	♃	♄	♅	♆	♇
1		⊻	⊻		☌		△	△	⚹
2	∠	∠		△		⚼			∠
3	⚹	⚹	∠	⚼	⊻	△	□	□	⊻
4			⚹		∠				
5	□	□			⚹	□	⚹	⚹	☌
6			□				∠	∠	
7	△	△		☍		⚹	⊻		
8		⚼			□			⊻	⊻
9	⚼		△			∠			∠
10			⚼		△	⊻	☌	●	⚹
11				⚼	⚼				
12		☍		△		☌	⊻		
13	☍							⊻	□
14							∠	∠	
15			☍	□	☍	⊻	⚹	⚹	△
16		⚼				∠			
17	⚼	△		⚹		⚹	□		⚼
18	△							□	
19		□	⚼	∠	⚼				
20			△	⊻	△	□	△	△	☍
21	□						⚼	⚼	
22		⚹	□	☌	□	△			
23	⚹	∠				⚼			
24	∠	⊻					☍	☍	⚼
25			⚹	⊻	⚹				△
26	⊻	☌	∠	∠	∠	☍			
27			⊻	⚹	⊻		⚼	⚼	□
28	☌						△	△	
29		⊻	☌	□	☌	⚼			⚹
30	⊻	∠				△	□	□	∠
31	∠	⚹	⊻	△	⊻				⊻

D M	Saturn Lat.	Saturn Dec.	Uranus Lat.	Uranus Dec.	Neptune Lat.	Neptune Dec.	Pluto Lat.	Pluto Dec.
	° ′	° ′	° ′	° ′	° ′	° ′	° ′	° ′
1	1S 1	17S 8	0S26	23S 1	0N45	21S37	14N46	3S31
3	1 1	17 11	0 26	23 2	0 45	21 38	14 45	3 32
5	1 1	17 13	0 26	23 2	0 45	21 38	14 44	3 34
7	1 1	17 16	0 26	23 2	0 44	21 39	14 43	3 35
9	1 1	17 19	0 26	23 3	0 44	21 39	14 42	3 36
11	1 1	17 22	0 26	23 3	0 44	21 39	14 41	3 37
13	1 2	17 25	0 26	23 4	0 44	21 40	14 39	3 39
15	1 2	17 27	0 26	23 4	0 44	21 40	14 38	3 40
17	1 2	17 30	0 26	23 4	0 44	21 41	14 37	3 41
19	1 2	17 33	0 26	23 5	0 44	21 41	14 36	3 43
21	1 2	17 35	0 26	23 5	0 44	21 41	14 35	3 44
23	1 2	17 38	0 26	23 5	0 44	21 41	14 34	3 45
25	1 2	17 40	0 26	23 6	0 44	21 42	14 33	3 47
27	1 2	17 43	0 26	23 6	0 44	21 42	14 32	3 48
29	1 2	17 45	0 26	23 6	0 44	21 42	14 31	3 50
31	1S 2	17S47	0S26	23S 6	0N44	21S43	14N30	3S51

1. ☉ ⊥ ♃. ♀ ± ♆.
2. ☉ ☌ ☿. ♃ ▽ ♄.
4. ☿ ⊥ ♃. ☉ **P** ♄.
5. ☿ **P** ♀.
7. ☉ ☍ ♄, ▽ ♅. ☿ ⚹ ♂. ♀ ⚼ ♅.
8. ♀ ⚼ ♆. ♂ ± ♅.
9. ☉ ⊻ ♃, ▽ ♆. ♃ △ ♆.
11. ♂ ± ♆. ☉ **P** ☿.
12. ☉ □ ♇. ☿ ⊻ ♀.
13. ☉ ± ♅. ♀ **Q** ♇. ♄ ⊻ ♅. ☿ **Stat.**
14. ♂ **P** ♆. **15.** ☉ ± ♆.
17. ♂ △ ♄, ▽ ♅.
18. ☿ ⊥ ♀. ♀ ▽ ♄.
19. ☿ △ ♅.
20. ☿ □ ♂, △ ♆. ♂ ▽ ♆.
22. ☉ **Q** ♂, ⚼ ♅.
23. ☿ ☌ ♃, ± ♄, ⚹ ♇. ♀ **P** ♃.
24. ☉ ⚼ ♆. ☿ ⊥ ♃, ☍ ♄. ♃ ± ♄.
25. ☿ ▽ ♅.
26. ☿ ▽ ♆. ♃ ⚹ ♇. ♀ **P** ♇.
27. ♂ □ ♃, ▽ ♇.
28. ☿ ± ♅, □ ♇.
29. ☿ ⊥ ♀, ⊻ ♃.
30. ☿ ⚹ ♂, ± ♆. ♀ ⚼ ♄.
31. ☉ **Q** ♇.

LAST QUARTER—August 21, 10*h.* 1*m.* *a.m.* (28° ♉ 35′)

New Moon—September 26, 10*h.* 40*m. a.m.* (3° ♎ 36′)

D M	D W	Sidereal Time	☉ Long.	☉ Dec.	☽ Long.	☽ Lat.	☽ Dec.	☽ Node	MIDNIGHT ☽ Long.	MIDNIGHT ☽ Dec
		H. M. S.	° ′ ″	° ′	° ′ ″	° ′	° ′	° ′	° ′ ″	° ′
1	T	10 43 35	9♍17 33	8N 5	9♏28 59	3S47	18S14	26♐51	16♏17 27	19S55
2	W	10 47 32	10 15 40	7 43	22 58 38	2 53	21 19	26 48	29 32 53	22 23
3	Th	10 51 28	11 13 47	7 21	6♐ 0 38	1 52	23 9	26 45	12♐22 24	23 36
4	F	10 55 25	12 11 56	6 59	18 38 48	0S48	23 45	26 42	24 50 27	23 35
5	S	10 59 21	13 10 7	6 37	0♑57 58	0N17	23 9	26 39	7♑ 2 0	22 26
6	Su	11 3 18	14 8 19	6 15	13 3 10	1 21	21 28	26 35	19 2 3	20 16
7	M	11 7 15	15 6 32	5 52	24 59 13	2 19	18 51	26 32	0♒55 11	17 15
8	T	11 11 11	16 4 47	5 29	6♒50 24	3 11	15 28	26 29	12 45 19	13 33
9	W	11 15 8	17 3 4	5 7	18 40 18	3 55	11 30	26 26	24 35 40	9 21
10	Th	11 19 4	18 1 22	4 44	0♓31 42	4 28	7 6	26 23	6♓28 39	4 47
11	F	11 23 1	18 59 42	4 21	12 26 42	4 50	2S25	26 20	18 26 3	0S 1
12	S	11 26 57	19 58 4	3 58	24 26 50	4 59	2N23	26 16	0♈29 10	4N46
13	Su	11 30 54	20 56 27	3 35	6♈33 12	4 55	7 7	26 13	12 39 3	9 25
14	M	11 34 50	21 54 53	3 12	18 46 52	4 37	11 38	26 10	24 56 47	13 45
15	T	11 38 47	22 53 20	2 49	1♉ 8 59	4 6	15 43	26 7	7♉23 41	17 32
16	W	11 42 44	23 51 50	2 26	13 41 8	3 23	19 10	26 4	20 1 36	20 36
17	Th	11 46 40	24 50 22	2 3	26 25 24	2 29	21 46	26 0	2♊52 52	22 40
18	F	11 50 37	25 48 56	1 40	9♊24 21	1 26	23 17	25 57	16 0 14	23 34
19	S	11 54 33	26 47 32	1 17	22 40 52	0N17	23 31	25 54	29 26 35	23 8
20	Su	11 58 30	27 46 10	0 53	6♋17 40	0S55	22 23	25 51	13♋14 21	21 17
21	M	12 2 26	28 44 51	0 30	20 16 43	2 5	19 51	25 48	27 24 47	18 6
22	T	12 6 23	29♍43 34	0N 7	4♌38 21	3 9	16 2	25 45	11♌57 5	13 43
23	W	12 10 19	0♎42 19	0S17	19 20 26	4 3	11 11	25 41	26 47 41	8 27
24	Th	12 14 16	1 41 7	0 40	4♍17 55	4 40	5N35	25 38	11♍50 1	2N37
25	F	12 18 13	2 39 56	1 4	19 22 49	4 59	0S23	25 35	26 55 1	3S22
26	S	12 22 9	3 38 47	1 27	4♎25 20	4 57	6 18	25 32	11♎52 30	9 7
27	Su	12 26 6	4 37 41	1 50	19 15 25	4 34	11 46	25 29	26 33 4	14 14
28	M	12 30 2	5 36 36	2 14	3♏44 38	3 55	16 27	25 26	10♏49 34	18 24
29	T	12 33 59	6 35 34	2 37	17 47 26	3 2	20 3	25 22	24 38 6	21 23
30	W	12 37 55	7♎34 33	3S 0	1♐21 34	2S 0	22S24	25♐19	7♐58 1	23S 5

D M	Mercury Lat.	Mercury Dec.		Venus Lat.	Venus Dec.		Mars Lat.	Mars Dec.		Jupiter Lat.	Jupiter Dec.
	° ′	° ′	° ′	° ′	° ′	° ′	° ′	° ′	° ′	° ′	° ′
1	1N27	14N 1	13N28	1N 6	0N37	0N 6	0S17	23N 0	23N 3	1N 4	4N18
3	1 37	12 53	12 16	1 3	0S25	0S56	0 15	23 6	23 8	1 4	4 8
5	1 44	11 37	10 56	0 59	1 27	1 58	0 12	23 10	23 13	1 4	3 58
7	1 47	10 14	9 31	0 55	2 29	3 0	0 10	23 15	23 16	1 4	3 48
9	1 47	8 47	8 2	0 51	3 30	4 1	0 8	23 18	23 20	1 4	3 38
11	1 45	7 16	6 30	0 46	4 32	5 2	0 5	23 21	23 22	1 4	3 27
13	1 40	5 43	4 56	0 42	5 33	6 3	0S 3	23 23	23 24	1 4	3 17
15	1 34	4 8	3 21	0 37	6 34	7 4	0 0	23 25	23 26	1 4	3 7
17	1 25	2 33	1 45	0 32	7 34	8 4	0N 2	23 27	23 27	1 4	2 57
19	1 15	0N58	0N11	0 27	8 33	9 3	0 5	23 28	23 28	1 4	2 46
21	1 4	0S37	1S23	0 22	9 32	10 1	0 8	23 28	23 28	1 4	2 36
23	0 53	2 10	2 56	0 16	10 30	10 59	0 10	23 28	23 28	1 4	2 26
25	0 40	3 42	4 27	0 11	11 27	11 55	0 13	23 28	23 27	1 4	2 16
27	0 27	5 12	5 57	0N 5	12 23	12 51	0 16	23 27	23 26	1 4	2 5
29	0N13	6 41	7S24	0 0	13 18	13S45	0 19	23 26	23N25	1 4	1 55
31	0S 1	8S 7		0S 6	14S12		0N22	23N24		1N 4	1N45

First Quarter—September 3, 10*h.* 39*m. p.m.* (11° ♐ 40′)

FULL MOON—September 12, *2h. 17m. a.m.* (19° ♓ 34′)

D M	☿ Long.	♀ Long.	♂ Long.	♃ Long.	♄ Long.	♅ Long.	♆ Long.	♇ Long.	☉	☿	♀	♂	♃	♄	♅	♆	♇
	° ′	° ′	° ′	° ′	° ′	° ′	° ′	° ′	Lunar Aspects								
1	26♌35	1♎ 1	23♊41	21♍36	13♒21	14♑14	16♑22	20♏27	✱			⚻	∠	□	✱		
2	28♌26	2 15	24 17	21 49	13R18	14R13	16R21	20 28		□	∠		✱		∠	✱	☌
3	0♍19	3 28	24 53	22 2	13 14	14 12	16 20	20 29	□		✱					∠	
4	2 13	4 42	25 29	22 14	13 10	14 11	16 20	20 30					□	✱	⊻	⊻	⊻
5	4 8	5 56	26 4	22 27	13 7	14 10	16 19	20 31		△	□	☍		∠			∠
6	6 3	7 9	26 40	22 40	13 3	14 9	16 18	20 33	△					⊻	☌	●	
7	7 59	8 23	27 15	22 53	13 0	14 9	16 17	20 34	⚻	⚻			△				✱
8	9 54	9 36	27 50	23 6	12 56	14 8	16 17	20 35			△		⚻				
9	11 50	10 50	28 25	23 19	12 53	14 7	16 16	20 37				⚻		☌	⊻	⊻	□
10	13 45	12 4	29 0	23 32	12 50	14 7	16 16	20 38			⚻	△			∠	∠	
11	15 40	13 17	29♊34	23 45	12 47	14 6	16 15	20 39		☍				⊻	✱	✱	
12	17 34	14 31	0♋ 8	23 58	12 44	14 5	16 15	20 41	☍			□	☍	∠			△
13	19 27	15 44	0 43	24 11	12 40	14 5	16 14	20 42									⚻
14	21 20	16 58	1 16	24 24	12 38	14 4	16 14	20 44			☍			✱	□	□	
15	23 11	18 11	1 50	24 37	12 35	14 4	16 13	20 45				✱					
16	25 2	19 25	2 24	24 50	12 32	14 4	16 13	20 47	⚻	⚻		∠	⚻	□	△	△	
17	26 52	20 38	2 57	25 3	12 29	14 3	16 13	20 48	△	△			△		⚻	⚻	☍
18	28♍41	21 52	3 30	25 16	12 26	14 3	16 12	20 50			⚻	⊻		△			
19	0♎28	23 5	4 3	25 29	12 24	14 3	16 12	20 51	□		△		□	⚻			
20	2 15	24 19	4 36	25 42	12 21	14 3	16 12	20 53		□		●					⚻
21	4 1	25 32	5 8	25 55	12 19	14 3	16 12	20 55			□		✱		☍	☍	△
22	5 45	26 46	5 41	26 8	12 17	14 3	16 11	20 56	✱	✱		⊻	∠				
23	7 29	27 59	6 13	26 21	12 14	14D 3	16 11	20 58	∠	∠		∠	⊻	☍			□
24	9 12	29♎13	6 44	26 34	12 12	14 3	16 11	21 0	⊻	⊻	✱	✱			⚻	⚻	
25	10 54	0♏26	7 16	26 47	12 10	14 3	16 11	21 1			∠		☌		△	△	✱
26	12 35	1 39	7 47	27 0	12 8	14 3	16 11	21 3	☌		⊻	□		⚻			∠
27	14 15	2 53	8 18	27 12	12 6	14 3	16 11	21 5		☌				△	□	□	⊻
28	15 54	4 6	8 49	27 25	12 5	14 3	16D11	21 7	⊻		☌	△	⊻				
29	17 32	5 19	9 19	27 38	12 3	14 4	16 11	21 9	∠	⊻		⚻	∠	□	✱	✱	☌
30	19♎ 9	6♏33	9♋50	27♍51	12♒ 1	14♑ 4	16♑11	21♏10		∠	⊻		✱		∠	∠	

D M	Saturn Lat.	Saturn Dec.	Uranus Lat.	Uranus Dec.	Neptune Lat.	Neptune Dec.	Pluto Lat.	Pluto Dec.
	° ′	° ′	° ′	° ′	° ′	° ′	° ′	° ′
1	1S 3	17S49	0S26	23S 6	0N44	21S43	14N29	3S52
3	1 3	17 51	0 26	23 7	0 44	21 43	14 28	3 54
5	1 3	17 53	0 26	23 7	0 44	21 43	14 27	3 55
7	1 3	17 55	0 26	23 7	0 44	21 43	14 26	3 57
9	1 3	17 57	0 26	23 7	0 44	21 44	14 25	3 58
11	1 3	17 59	0 26	23 7	0 43	21 44	14 24	4 0
13	1 3	18 1	0 26	23 7	0 43	21 44	14 23	4 2
15	1 3	18 2	0 26	23 7	0 43	21 44	14 22	4 3
17	1 3	18 4	0 26	23 7	0 43	21 44	14 21	4 5
19	1 3	18 5	0 26	23 7	0 43	21 45	14 20	4 7
21	1 3	18 7	0 26	23 7	0 43	21 45	14 19	4 8
23	1 3	18 8	0 26	23 7	0 43	21 45	14 19	4 10
25	1 3	18 9	0 25	23 7	0 43	21 45	14 18	4 12
27	1 3	18 10	0 25	23 7	0 43	21 45	14 17	4 13
29	1 3	18 11	0 25	23 7	0 43	21 45	14 16	4 15
31	1S 3	18S12	0S25	23S 7	0N43	21S45	14N15	4S17

2. ☿ ⚻ ♅. **3.** ♂ **P** ♅.
4. ☿ ⚻ ♆.
5. ☉ ⚼ ♄. ♀ ∠ ♇. ♃ **P** ♇.
6. ☉ △ ♅. ♂ ± ♇
7. ☿ **Q** ♇.
8. ☉ △ ♆. ☿ ⊻ ♀, **Q** ♂. ♂ ⚻ ♄.
9. ♀ **P** ♃.
10. ☿ ⚼ ♄, △ ♅. ♀ **P** ♇.
11. ☉ ± ♄. ☿ △ ♆. ♀ △ ♄. ☉ **P** ♀.
12. ♀ □ ♅, ⊥ ♇. ☉ **P** ♇.
13. ☉ ✱ ♇. ☿ ± ♄. ♀ □ ♆. ☿ **P** ♀.
14. ☿ ✱ ♇. ☉ **P** ♃.
15. ☉ ☌ ☿. ☿ **P** ♇.
16. ☿ ☌ ♃. ☿ **P** ♃.
17. ☉ ☌ ♃. ☿ ⚻ ♄. ♀ ⊻ ♇.
18. ☉ **P** ☿.
20. ☉ ⚻ ♄.
21. ♀ ⊻ ♃. ☉ **P** ☿.
22. ☿ □ ♂, ∠ ♇. ♅ **Stat.**
23. ♂ ± ♄, ⚻ ♇. ☿ **P** ♃.
26. ☿ △ ♄. ♀ **Q** ♅. ☿ **P** ♇.
27. ☿ □ ♅. ♀ ⊥ ♃. ♃ ⚻ ♄. ♆ **Stat.**
28. ☿ □ ♆, ⊥ ♇. ♀ **Q** ♆. ☉ **P** ♃.
29. ☉ ∠ ♇.

LAST QUARTER—September 19, *7h. 53m. p.m.* (27° ♊ 7′)

NEW MOON—October 25, 8*h.* 34*m.* *p.m.* (2° ♏ 41′)

D M	D W	Sidereal Time	☉ Long.	☉ Dec.	☽ Long.	☽ Lat.	☽ Dec.	☽ Node	MIDNIGHT ☽ Long.	MIDNIGHT ☽ Dec.
		H. M. S.	° ′ ″	° ′	° ′ ″	° ′	° ′	° ′	° ′ ″	° ′
1	TH	12 41 52	8♎33 34	3 S 24	14♐27 47	0 S 54	23 S 26	25♐16	20♐51 18	23 S 28
2	F	12 45 48	9 32 36	3 47	27 9 8	0 N 13	23 11	25 13	3♑21 50	22 38
3	S	12 49 45	10 31 41	4 10	9♑30 5	1 18	21 48	25 10	15 34 30	20 44
4	SU	12 53 42	11 30 47	4 33	21 35 48	2 18	19 26	25 6	27 34 37	17 57
5	M	12 57 38	12 29 55	4 56	3♒31 37	3 11	16 16	25 3	9♒27 23	14 27
6	T	13 1 35	13 29 5	5 19	15 22 32	3 55	12 29	25 0	21 17 35	10 24
7	W	13 5 31	14 28 17	5 42	27 13 3	4 29	8 13	24 57	3♓ 9 21	5 58
8	TH	13 9 28	15 27 30	6 5	9♓ 6 52	4 52	3 S 39	24 54	15 5 58	1 S 17
9	F	13 13 24	16 26 45	6 28	21 6 53	5 2	1 N 6	24 51	27 9 53	3 N 29
10	S	13 17 21	17 26 2	6 51	3♈15 7	4 58	5 51	24 47	9♈22 43	8 10
11	SU	13 21 17	18 25 21	7 13	15 32 46	4 41	10 26	24 44	21 45 21	12 36
12	M	13 25 14	19 24 43	7 36	28 0 30	4 10	14 39	24 41	4♉18 14	16 33
13	T	13 29 11	20 24 6	7 58	10♉38 34	3 26	18 17	24 38	17 1 32	19 48
14	W	13 33 7	21 23 31	8 21	23 27 11	2 31	21 5	24 35	29 55 34	22 6
15	TH	13 37 4	22 22 59	8 43	6♊26 46	1 28	22 50	24 31	13♊ 0 54	23 15
16	F	13 41 0	23 22 29	9 5	19 38 6	0 N 19	23 21	24 28	26 18 31	23 6
17	S	13 44 57	24 22 1	9 27	3♋ 2 20	0 S 53	22 32	24 25	9♋49 41	21 37
18	SU	13 48 53	25 21 36	9 49	16 40 45	2 2	20 22	24 22	23 35 39	18 50
19	M	13 52 50	26 21 13	10 10	0♌34 27	3 6	17 0	24 19	7♌37 9	14 54
20	T	13 56 46	27 20 52	10 32	14 43 39	4 0	12 35	24 16	21 53 46	10 4
21	W	14 0 43	28 20 33	10 53	29 7 9	4 40	7 24	24 12	6♍23 22	4 N 37
22	TH	14 4 40	29♎20 17	11 14	13♍41 49	5 2	1 N 46	24 9	21 1 47	1 S 8
23	F	14 8 36	0♏20 3	11 35	28 22 27	5 5	4 S 1	24 6	5♎42 54	6 50
24	S	14 12 33	1 19 51	11 56	13♎ 2 13	4 47	9 33	24 3	20 19 24	12 8
25	SU	14 16 29	2 19 41	12 17	27 33 34	4 11	14 31	24 0	4♏43 50	16 40
26	M	14 20 26	3 19 33	12 37	11♏49 29	3 20	18 33	23 57	18 49 53	20 9
27	T	14 24 22	4 19 27	12 58	25 44 35	2 18	21 26	23 53	2♐33 17	22 23
28	W	14 28 19	5 19 23	13 18	9♐15 48	1 S 10	23 0	23 50	15 52 9	23 16
29	TH	14 32 15	6 19 20	13 38	22 22 28	0 0	23 13	23 47	28 47 1	22 51
30	F	14 36 12	7 19 20	13 57	5♑ 6 8	1 N 9	22 12	23 44	11♑20 18	21 17
31	S	14 40 9	8♏19 21	14 S 17	17♑30 0	2 N 12	20 S 7	23♐41	23♑35 49	18 S 44

D M	Mercury Lat.	Mercury Dec.		Venus Lat.	Venus Dec.		Mars Lat.	Mars Dec.		Jupiter Lat.	Jupiter Dec.
	° ′	° ′	° ′	° ′	° ′	° ′	° ′	° ′	° ′	° ′	° ′
1	0 S 1	8 S 7	8 S 50	0 S 6	14 S 12	14 S 38	0 N 22	23 N 24	23 N 23	1 N 4	1 N 45
3	0 15	9 31	10 12	0 12	15 4	15 30	0 25	23 23	23 22	1 4	1 35
5	0 29	10 53	11 33	0 18	15 55	16 20	0 28	23 20	23 19	1 5	1 25
7	0 44	12 12	12 50	0 24	16 45	17 9	0 31	23 18	23 17	1 5	1 15
9	0 58	13 28	14 4	0 30	17 33	17 56	0 35	23 16	23 14	1 5	1 5
11	1 12	14 41	15 16	0 36	18 19	18 41	0 38	23 13	23 12	1 5	0 55
13	1 25	15 50	16 24	0 42	19 3	19 24	0 42	23 10	23 9	1 5	0 45
15	1 38	16 57	17 29	0 48	19 45	20 6	0 45	23 8	23 6	1 5	0 35
17	1 51	18 0	18 30	0 54	20 26	20 45	0 49	23 5	23 3	1 5	0 25
19	2 3	18 59	19 27	1 0	21 4	21 22	0 52	23 2	23 0	1 6	0 16
21	2 14	19 54	20 20	1 6	21 40	21 57	0 56	22 59	22 57	1 6	0 N 6
23	2 24	20 45	21 9	1 11	22 13	22 29	1 0	22 56	22 55	1 6	0 S 4
25	2 33	21 31	21 52	1 17	22 45	22 59	1 4	22 53	22 52	1 6	0 13
27	2 40	22 12	22 31	1 22	23 13	23 27	1 8	22 51	22 49	1 6	0 22
29	2 46	22 49	23 S 5	1 28	23 39	23 S 52	1 12	22 48	22 N 47	1 7	0 32
31	2 S 50	23 S 19		1 S 33	24 S 3		1 N 16	22 N 46		1 N 7	0 S 41

FIRST QUARTER—October 3, 2*h.* 12*m.* *p.m.* (10° ♑ 37′)

FULL MOON—October 11, 6*h.* 3*m.* *p.m.* (18° ♈ 40′)

D M	☿ Long.	♀ Long.	♂ Long.	♃ Long.	♄ Long.	♅ Long.	♆ Long.	♇ Long.	☉	☿	♀	♂	♃	♄	♅	♆	♇
	° ′	° ′	° ′	° ′	° ′	° ′	° ′	° ′									
1	20♎46	7♏46	10♋20	28♍ 4	12♒ 0	14♑ 5	16♑11	21♏12	⚹					⚹	⚺	⚺	
2	22 21	8 59	10 49	28 17	11R58	14 5	16 11	21 14		⚹	∠		□	∠			⚺
3	23 56	10 13	11 19	28 30	11 57	14 5	16 11	21 16	□		⚹	☍		⚺	☌		∠
4	25 30	11 26	11 48	28 43	11 56	14 6	16 12	21 18		□						●	⚹
5	27 3	12 39	12 17	28 56	11 55	14 7	16 12	21 20					△				
6	28♎35	13 52	12 46	29 8	11 54	14 7	16 12	21 22	△		□		⚼	☌	⚺	⚺	
7	0♏ 7	15 6	13 14	29 21	11 53	14 8	16 12	21 24	⚼	△		⚼			∠	∠	□
8	1 38	16 19	13 42	29 34	11 52	14 9	16 13	21 26				△		⚺	⚹		
9	3 7	17 32	14 10	29 47	11 51	14 10	16 13	21 28		⚼	△			∠		⚹	△
10	4 37	18 45	14 37	29♍59	11 51	14 11	16 14	21 30			⚼		☍				⚼
11	6 5	19 58	15 4	0♎12	11 50	14 11	16 14	21 32	☍			□		⚹	□	□	
12	7 33	21 11	15 31	0 25	11 50	14 12	16 14	21 35									
13	8 59	22 24	15 57	0 37	11 50	14 13	16 15	21 37		☍		⚹	⚼	□	△	△	
14	10 25	23 37	16 23	0 50	11 49	14 14	16 16	21 39			☍				⚼		☍
15	11 51	24 50	16 49	1 2	11 49	14 16	16 16	21 41	⚼			∠	△	△		⚼	
16	13 15	26 4	17 14	1 15	11D49	14 17	16 17	21 43	△			⚺					
17	14 38	27 17	17 39	1 27	11 49	14 18	16 17	21 45		⚼			□	⚼			⚼
18	16 1	28 29	18 4	1 40	11 49	14 19	16 18	21 48		△	⚼	☌			☍	☍	△
19	17 22	29♏42	18 28	1 52	11 50	14 21	16 19	21 50	□		△		⚹				
20	18 43	0♐55	18 52	2 4	11 50	14 22	16 19	21 52		□		⚺	∠	☍			□
21	20 2	2 8	19 16	2 17	11 51	14 23	16 20	21 54	⚹		□	∠	⚺		⚼	⚼	
22	21 20	3 21	19 39	2 29	11 51	14 25	16 21	21 56	∠			⚹			△	△	
23	22 37	4 34	20 1	2 41	11 52	14 26	16 22	21 59	⚺	⚹	⚹		☌	⚼			⚹
24	23 53	5 47	20 24	2 53	11 53	14 28	16 23	22 1		∠				△	□	□	∠
25	25 7	7 0	20 46	3 6	11 54	14 29	16 24	22 3	☌	⚺	∠	□	⚺				⚺
26	26 20	8 13	21 7	3 18	11 55	14 31	16 25	22 6			⚺		∠	□	⚹	⚹	
27	27 31	9 25	21 28	3 30	11 56	14 33	16 26	22 8		●		△			∠	∠	☌
28	28 39	10 38	21 48	3 42	11 57	14 35	16 27	22 10	⚺		●	⚼	⚹	⚹	⚺		
29	29♏46	11 51	22 8	3 54	11 58	14 36	16 28	22 13	∠					∠		⚺	⚺
30	0♐51	13 4	22 28	4 5	12 0	14 38	16 29	22 15	⚹	⚺			□				∠
31	1♐52	14♐16	22♋47	4♎17	12♒ 1	14♑40	16♑30	22♏17		∠	⚺	☍		⚺	☌	☌	⚹

D M	Saturn Lat.	Saturn Dec.	Uranus Lat.	Uranus Dec.	Neptune Lat.	Neptune Dec.	Pluto Lat.	Pluto Dec.
	° ′	° ′	° ′	° ′	° ′	° ′	° ′	° ′
1	1S 3	18S12	0S25	23S 7	0N43	21S45	14N15	4S17
3	1 3	18 13	0 25	23 7	0 43	21 45	14 15	4 18
5	1 3	18 13	0 25	23 7	0 43	21 45	14 14	4 20
7	1 3	18 14	0 25	23 7	0 43	21 45	14 13	4 21
9	1 3	18 14	0 25	23 6	0 43	21 45	14 13	4 23
11	1 2	18 14	0 25	23 6	0 42	21 45	14 12	4 25
13	1 2	18 15	0 25	23 6	0 42	21 45	14 11	4 26
15	1 2	18 15	0 25	23 6	0 42	21 45	14 11	4 28
17	1 2	18 14	0 25	23 5	0 42	21 45	14 10	4 30
19	1 2	18 14	0 25	23 5	0 42	21 45	14 10	4 31
21	1 2	18 14	0 25	23 5	0 42	21 45	14 9	4 33
23	1 2	18 14	0 25	23 4	0 42	21 44	14 9	4 34
25	1 2	18 13	0 25	23 4	0 42	21 44	14 8	4 36
27	1 2	18 12	0 25	23 4	0 42	21 44	14 8	4 37
29	1 2	18 12	0 25	23 3	0 42	21 44	14 7	4 39
31	1S 2	18S11	0S25	23S 3	0N42	21S44	14N 7	4S40

1. ☿ ⚺ ♇. **3.** ☉ **P** ♇.
4. ☉ ⚺ ♀, △ ♄. ♀ □ ♄. ♂ ▽ ♄.
5. ☉ □ ♄. ♀ △ ♂.
6. ☿ ⚺ ♃. ♀ ∠ ♃, ⚹ ♅.
7. ☉ □ ♅.
8. ☉ ⊥ ♇. ☿ **Q** ♅. ♀ ⚹ ♆.
9. ☉ □ ♆. ♂ ☍ ♅.
10. ☿ **Q** ♆. **11.** ☿ ⊥ ♃. ♀ **P** ♄.
12. ♀ ☌ ♇. **14.** ☉ ⚺ ♇. ♂ ☍ ♆.
15. ☿ □ ♄. **16.** ♂ **P** ♅. ♃ **Stat.**
17. ☿ ⚹ ♅. ☿ **P** ♄. **18.** ☿ ⚹ ♆.
19. ☿ ∠ ♃. ♀ **Q** ♄, ∠ ♅.
20. ☿ △ ♂. ♀ ∠ ♆.
21. ♀ ⚹ ♃. ♀ **P** ♆.
22. ☿ ☌ ♇. **24.** ♀ ⚼ ♂.
25. ☉ **Q** ♅.
26. ☉ ⚺ ♃. ♀ ⊥ ♅. ☿ **P** ♆.
♀ **P** ♂, **P** ♅.
27. ☉ **Q** ♆. ♂ **Q** ♃.
28. ♀ ⊥ ♆.
29. ☿ **Q** ♄, ∠ ♅. ♀ ⚹ ♄.
♂ △ ♇. ☿ **P** ♂.
30. ☿ **P** ♅.
31. ☉ ⊥ ♀. ☿ ∠ ♆. ♀ ⚺ ♅.

LAST QUARTER—October 19, 4*h.* 12*m.* *a.m.* (26° ♋ 2′)

New Moon—November 24, 9*h.* 11*m.* *a.m.* (2° ♐ 21′)

D M	D W	Sidereal Time	☉ Long.	☉ Dec.	☽ Long.	☽ Lat.	☽ Dec.	☽ Node	MIDNIGHT ☽ Long.	MIDNIGHT ☽ Dec.
		H. M. S.	° ′ ″	° ′	° ′ ″	° ′	° ′	° ′	° ′ ″	° ′
1	Su	14 44 5	9♏19 23	14 S 36	29♑38 22	3N 8	17 S 10	23♐37	5♒38 16	15 S 25
2	M	14 48 2	10 19 27	14 55	11♒36 10	3 55	13 32	23 34	17 32 41	11 32
3	T	14 51 58	11 19 33	15 14	23 28 29	4 32	9 25	23 31	29 24 9	7 13
4	W	14 55 55	12 19 40	15 32	5♓20 17	4 57	4 57	23 28	11♓17 26	2 S 38
5	Th	14 59 51	13 19 49	15 50	17 16 7	5 9	0 S 17	23 25	23 16 47	2N 5
6	F	15 3 48	14 20 0	16 8	29 19 52	5 8	4N26	23 22	5♈25 43	6 46
7	S	15 7 44	15 20 12	16 26	11♈34 38	4 53	9 4	23 18	17 46 50	11 17
8	Su	15 11 41	16 20 25	16 43	24 2 30	4 23	13 24	23 15	0♉21 45	15 24
9	M	15 15 38	17 20 40	17 1	6♉44 38	3 41	17 14	23 12	13 11 7	18 53
10	T	15 19 34	18 20 57	17 17	19 41 11	2 46	20 19	23 9	26 14 42	21 29
11	W	15 23 31	19 21 16	17 34	2♊51 34	1 41	22 23	23 6	9♊31 37	22 58
12	Th	15 27 27	20 21 37	17 50	16 14 40	0N30	23 13	23 3	23 0 35	23 8
13	F	15 31 24	21 21 59	18 6	29 49 10	0 S 44	22 42	22 59	6♋40 15	21 55
14	S	15 35 20	22 22 23	18 22	13♋33 41	1 57	20 49	22 56	20 29 19	19 23
15	Su	15 39 17	23 22 49	18 37	27 26 59	3 4	17 40	22 53	4♌26 35	15 42
16	M	15 43 13	24 23 17	18 52	11♌27 56	4 0	13 30	22 50	18 30 54	11 6
17	T	15 47 10	25 23 47	19 7	25 35 17	4 42	8 34	22 47	2♍40 53	5 54
18	W	15 51 7	26 24 19	19 21	9♍47 26	5 7	3N 9	22 43	16 54 40	0N22
19	Th	15 55 3	27 24 52	19 35	24 2 13	5 14	2 S 26	22 40	1♎ 9 42	5 S 12
20	F	15 59 0	28 25 27	19 49	8♎16 41	5 1	7 53	22 37	15 22 41	10 29
21	S	16 2 56	29♏26 4	20 2	22 27 12	4 30	12 55	22 34	29 29 44	15 10
22	Su	16 6 53	0♐26 42	20 15	6♏29 45	3 43	17 11	22 31	13♏26 46	18 58
23	M	16 10 49	1 27 23	20 27	20 20 21	2 43	20 27	22 28	27 10 3	21 38
24	T	16 14 46	2 28 4	20 39	3♐55 34	1 35	22 30	22 24	10♐36 38	23 1
25	W	16 18 42	3 28 47	20 51	17 13 3	0 S 24	23 13	22 21	23 44 45	23 5
26	Th	16 22 39	4 29 32	21 2	0♑11 44	0N48	22 38	22 18	6♑34 4	21 54
27	F	16 26 36	5 30 17	21 13	12 51 57	1 55	20 54	22 15	19 5 37	19 39
28	S	16 30 32	6 31 4	21 24	25 15 23	2 56	18 12	22 12	1♒21 39	16 33
29	Su	16 34 29	7 31 51	21 34	7♒24 52	3 48	14 45	22 9	13 25 31	12 48
30	M	16 38 25	8♐32 40	21 S 44	19♒24 7	4N28	10 S 45	22♐ 5	25♒21 15	8 S 36

D M	Mercury Lat.	Mercury Dec.		Venus Lat.	Venus Dec.		Mars Lat.	Mars Dec.		Jupiter Lat.	Jupiter Dec.
	° ′	° ′	° ′	° ′	° ′	° ′	° ′	° ′	° ′	° ′	° ′
1	2 S 51	23 S 32	23 S 43	1 S 35	24 S 14	24 S 24	1N18	22N45	22N44	1N 7	0 S 45
3	2 52	23 53	24 1	1 40	24 33	24 42	1 23	22 43	22 43	1 7	0 55
5	2 49	24 7	24 11	1 45	24 50	24 57	1 27	22 42	22 41	1 7	1 3
7	2 42	24 12	24 12	1 49	25 4	25 10	1 32	22 41	22 40	1 8	1 12
9	2 31	24 9	24 4	1 54	25 15	25 19	1 36	22 40	22 40	1 8	1 21
11	2 15	23 56	23 45	1 58	25 23	25 26	1 41	22 40	22 40	1 8	1 29
13	1 53	23 30	23 13	2 1	25 28	25 29	1 46	22 40	22 40	1 9	1 38
15	1 25	22 52	22 28	2 5	25 30	25 30	1 51	22 41	22 42	1 9	1 46
17	0 50	22 1	21 30	2 8	25 29	25 28	1 56	22 42	22 43	1 9	1 54
19	0 S 11	20 57	20 22	2 11	25 25	25 22	2 1	22 44	22 45	1 9	2 2
21	0N30	19 45	19 8	2 13	25 19	25 14	2 7	22 47	22 48	1 10	2 10
23	1 10	18 32	17 57	2 15	25 9	25 3	2 12	22 50	22 52	1 10	2 18
25	1 43	17 26	16 58	2 17	24 57	24 49	2 18	22 54	22 56	1 10	2 25
27	2 9	16 35	16 16	2 19	24 41	24 32	2 23	22 59	23 1	1 11	2 33
29	2 27	16 2	15 S 53	2 20	24 23	24 S 13	2 29	23 4	23N 7	1 11	2 40
31	2N36	15 S 48		2 S 20	24 S 2		2N34	23N10		1N12	2 S 47

First Quarter—November 2, 9*h.* 11*m.* *a.m.* (10° ♒ 12′)

Full Moon—November 10, 9*h.* 20*m.* *a.m.* (18° ♉ 14′)

D M	☿ Long.	♀ Long.	♂ Long.	♃ Long.	♄ Long.	♅ Long.	♆ Long.	♇ Long.
	° ′	° ′	° ′	° ′	° ′	° ′	° ′	° ′
1	2♐51	15♐29	23♋ 5	4♎29	12♒ 3	14♑42	16♑31	22♏20
2	3 47	16 41	23 23	4 41	12 5	14 44	16 32	22 22
3	4 39	17 54	23 41	4 52	12 6	14 46	16 33	22 24
4	5 27	19 7	23 58	5 4	12 8	14 48	16 34	22 27
5	6 10	20 19	24 14	5 15	12 10	14 50	16 36	22 29
6	6 49	21 32	24 30	5 27	12 12	14 52	16 37	22 32
7	7 21	22 44	24 45	5 38	12 15	14 54	16 38	22 34
8	7 48	23 56	25 0	5 50	12 17	14 57	16 39	22 36
9	8 7	25 9	25 14	6 1	12 19	14 59	16 41	22 39
10	8 19	26 21	25 28	6 12	12 22	15 1	16 42	22 41
11	8 23	27 33	25 41	6 23	12 24	15 4	16 44	22 44
12	8R17	28 45	25 53	6 34	12 27	15 6	16 45	22 46
13	8 2	29♐58	26 5	6 45	12 30	15 8	16 46	22 48
14	7 37	1♑10	26 16	6 56	12 33	15 11	16 48	22 51
15	7 2	2 22	26 27	7 7	12 36	15 13	16 49	22 53
16	6 16	3 34	26 37	7 17	12 39	15 16	16 51	22 56
17	5 21	4 46	26 46	7 28	12 42	15 18	16 53	22 58
18	4 17	5 58	26 54	7 39	12 45	15 21	16 54	23 0
19	3 5	7 10	27 2	7 49	12 49	15 24	16 56	23 3
20	1 47	8 21	27 9	7 59	12 52	15 26	16 57	23 5
21	0♐26	9 33	27 15	8 10	12 55	15 29	16 59	23 8
22	29♏ 5	10 45	27 21	8 20	12 59	15 32	17 1	23 10
23	27 45	11 57	27 25	8 30	13 3	15 35	17 2	23 12
24	26 30	13 8	27 29	8 40	13 7	15 37	17 4	23 15
25	25 22	14 20	27 32	8 50	13 10	15 40	17 6	23 17
26	24 23	15 31	27 35	9 0	13 14	15 43	17 8	23 20
27	23 34	16 43	27 36	9 9	13 18	15 46	17 10	23 22
28	22 56	17 54	27 37	9 19	13 22	15 49	17 11	23 24
29	22 30	19 5	27R37	9 28	13 27	15 52	17 13	23 27
30	22♏16	20♑17	27♋36	9♎38	13♒31	15♑55	17♑15	23♏29

Lunar Aspects

D M	☉	☿	♀	♂	♃	♄	♅	♆	♇
1		⚹	∠		△				
2	□		⚹			☌	⚺	⚺	
3					⚼				□
4		□		⚼			∠	∠	
5	△		□			⚺	⚹	⚹	△
6	⚼			△		∠			
7		△			☍	⚹	□	□	⚼
8		⚼	△	□					
9			⚼			□			
10	☍			⚹	⚼		△	△	☍
11		☍			△		⚼	⚼	
12				∠		△			
13			☍	⚺		⚼			
14	⚼				□		☍	☍	⚼
15	△	⚼		☌					△
16		△			⚹	☍			
17	□		⚼	⚺	∠		⚼	⚼	□
18		□	△	∠	⚺		△		
19	⚹			⚹		⚼		△	⚹
20	∠	⚹	□		☌	△			∠
21		∠		□			□	□	⚺
22	⚺	⚺	⚹		⚺	□			
23		☌			∠		⚹	⚹	☌
24	☌		∠	△	⚹		∠	∠	
25			⚺	⚼		⚹	⚺	⚺	⚺
26	⚺	⚺				∠			
27		∠	☌		□	⚺	☌	☌	∠
28	∠	⚹		☍					⚹
29	⚹				△				
30		□	⚺		⚼	☌	⚺	⚺	□

D M	Saturn Lat.	Saturn Dec.	Uranus Lat.	Uranus Dec.	Neptune Lat.	Neptune Dec.	Pluto Lat.	Pluto Dec.
	° ′	° ′	° ′	° ′	° ′	° ′	° ′	° ′
1	1S 2	18S10	0S25	23S 3	0N42	21S44	14N 7	4S41
3	1 2	18 9	0 25	23 2	0 42	21 43	14 7	4 42
5	1 2	18 8	0 25	23 2	0 42	21 43	14 6	4 44
7	1 2	18 7	0 25	23 1	0 42	21 43	14 6	4 45
9	1 2	18 5	0 25	23 1	0 42	21 43	14 6	4 46
11	1 2	18 4	0 25	23 0	0 41	21 42	14 6	4 48
13	1 1	18 2	0 25	23 0	0 41	21 42	14 5	4 49
15	1 1	18 1	0 25	22 59	0 41	21 42	14 5	4 50
17	1 1	17 59	0 25	22 58	0 41	21 41	14 5	4 52
19	1 1	17 57	0 25	22 58	0 41	21 41	14 5	4 53
21	1 1	17 55	0 25	22 57	0 41	21 41	14 5	4 54
23	1 1	17 53	0 25	22 56	0 41	21 40	14 5	4 55
25	1 1	17 50	0 25	22 56	0 41	21 40	14 5	4 56
27	1 1	17 48	0 25	22 55	0 41	21 40	14 5	4 57
29	1 1	17 46	0 25	22 54	0 41	21 39	14 5	4 58
31	1S 1	17S43	0S25	22S54	0N41	21S39	14N 5	4S59

2. ☉ ⊥ ♃. ♀ **Q** ♃. ⚺ ♆.
3. ☿ ⚹ ♃. ♀ ± ♂.
4. ☉ □ ♄.
7. ☉ ⚹ ♅. ♀ ⚺ ♇.
8. ☉ ⚹ ♆.
9. ♀ ∇ ♂.
11. ♀ ∠ ♄. ☿ **Stat.**
12. ♀ ⊥ ♇.
13. ☉ ∠ ♃. ☉ **P** ♄.
14. ☉ ☌ ♇.
15. ☿ ⚹ ♃. ☿ **P** ♂. **P** ♅.
17. ☿ ⚺ ♀.
18. ☿ **P** ♆.
19. ☉ △ ♂. ♀ ⊥ ♄.
20. ☿ ⊥ ♀. ∠ ♆. ♀ □ ♃. ∠ ♇.
21. ☉ ☌ ☿. ☿ **Q** ♄. ∠ ♅.
♃ ∠ ♇. ☉ **P** ☿.
22. ☉ ∠ ♅.
23. ☉ **Q** ♄. ☿ ∠ ♀. △ ♂.
24. ☉ ∠ ♆. ♀ ⚺ ♄. ☿ **P** ♄.
26. ☿ ∠ ♃. ♀ ☌ ♅. ♂ **P** ♅.
27. ☿ ☌ ♇. ♀ ☌ ♆.
28. ♂ **Stat.**
30. ♂ **Q** ♃. ☉ **P** ♆.

Last Quarter—November 17, 11*h.* 39*m.* *a.m.* (25° ♌ 23′)

New Moon—December 24, 0*h.* 43*m.* *a.m.* (2° ♑ 28′)

D M	D W	Sidereal Time	☉ Long.	☉ Dec.	☽ Long.	☽ Lat.	☽ Dec.	☽ Node	MIDNIGHT ☽ Long.	MIDNIGHT ☽ Dec.
		H. M. S.	° ′ ″	° ′	° ′ ″	° ′	° ′	° ′	° ′ ″	° ′
1	T	16 42 22	9♐33 29	21 S 53	1♓17 28	4N57	6S23	22♐ 2	7♓13 23	4S 6
2	W	16 46 18	10 34 20	22 2	13 9 36	5 13	1S47	21 59	19 6 43	0N33
3	Th	16 50 15	11 35 11	22 10	25 5 20	5 16	2N53	21 56	1♈ 6 0	5 13
4	F	16 54 11	12 36 3	22 18	7♈ 9 17	5 5	7 31	21 53	13 15 41	9 45
5	S	16 58 8	13 36 56	22 26	19 25 41	4 40	11 55	21 49	25 39 41	13 59
6	Su	17 2 5	14 37 50	22 33	1♉58 2	4 1	15 56	21 46	8♉21 1	17 43
7	M	17 6 1	15 38 44	22 40	14 48 50	3 10	19 18	21 43	21 21 37	20 40
8	T	17 9 58	16 39 40	22 46	27 59 23	2 7	21 46	21 40	4♊42 2	22 35
9	W	17 13 54	17 40 36	22 52	11♊29 27	0N55	23 4	21 37	18 21 22	23 13
10	Th	17 17 51	18 41 33	22 58	25 17 25	0S21	23 0	21 34	2♋17 13	22 26
11	F	17 21 47	19 42 31	23 2	9♋20 16	1 37	21 29	21 30	16 26 4	20 13
12	S	17 25 44	20 43 30	23 7	23 34 2	2 49	18 37	21 27	0♌43 36	16 43
13	Su	17 29 40	21 44 30	23 11	7♌54 11	3 50	14 35	21 24	15 5 14	12 14
14	M	17 33 37	22 45 31	23 15	22 16 13	4 37	9 43	21 21	29 26 38	7 4
15	T	17 37 34	23 46 33	23 18	6♍36 5	5 7	4N20	21 18	13♍44 9	1N33
16	W	17 41 30	24 47 36	23 20	20 50 30	5 17	1S14	21 15	27 54 52	3S59
17	Th	17 45 27	25 48 40	23 22	4♎57 1	5 9	6 41	21 11	11♎56 44	9 17
18	F	17 49 23	26 49 45	23 24	18 53 53	4 42	11 45	21 8	25 48 20	14 2
19	S	17 53 20	27 50 50	23 25	2♏39 57	3 59	16 8	21 5	9♏28 40	18 0
20	Su	17 57 16	28 51 57	23 26	16 14 24	3 3	19 37	21 2	22 57 2	20 58
21	M	18 1 13	29♐53 4	23 26	29 36 33	1 59	22 0	20 59	6♐12 50	22 43
22	T	18 5 9	0♑54 12	23 26	12♐45 52	0S48	23 8	20 55	19 15 36	23 13
23	W	18 9 6	1 55 21	23 26	25 41 59	0N23	22 59	20 52	2♑ 5 2	22 27
24	Th	18 13 3	2 56 30	23 24	8♑24 46	1 32	21 38	20 49	14 41 13	20 34
25	F	18 16 59	3 57 39	23 23	20 54 29	2 35	19 15	20 46	27 4 40	17 44
26	S	18 20 56	4 58 48	23 21	3♒11 59	3 31	16 2	20 43	9♒16 36	14 10
27	Su	18 24 52	5 59 58	23 18	15 18 49	4 15	12 11	20 40	21 18 55	10 5
28	M	18 28 49	7 1 7	23 15	27 17 16	4 48	7 54	20 36	3♓14 15	5 39
29	T	18 32 45	8 2 17	23 12	9♓10 20	5 8	3S22	20 33	15 5 59	1S 3
30	W	18 36 42	9 3 27	23 8	21 1 43	5 15	1N17	20 30	26 58 5	3N36
31	Th	18 40 38	10♑ 4 36	23S 3	2♈55 39	5N 9	5N53	20♐27	8♈55 1	8N 8

D M	Mercury Lat.	Mercury Dec.		Venus Lat.	Venus Dec.		Mars Lat.	Mars Dec.		Jupiter Lat.	Jupiter Dec.
	° ′	° ′	° ′	° ′	° ′	° ′	° ′	° ′	° ′	° ′	° ′
1	2N36	15S48	15S48	2S20	24S 2	23S51	2N34	23N10	23N13	1N12	2S47
3	2 39	15 52	15 59	2 20	23 39	23 26	2 40	23 17	23 21	1 12	2 54
5	2 36	16 9	16 22	2 20	23 12	22 58	2 46	23 24	23 28	1 12	3 0
7	2 29	16 37	16 54	2 20	22 44	22 29	2 52	23 32	23 37	1 13	3 7
9	2 19	17 13	17 32	2 18	22 13	21 56	2 57	23 41	23 46	1 13	3 13
11	2 7	17 53	18 14	2 17	21 39	21 22	3 3	23 51	23 55	1 14	3 19
13	1 53	18 35	18 57	2 15	21 4	20 45	3 9	24 0	24 6	1 14	3 25
15	1 39	19 19	19 41	2 12	20 26	20 6	3 14	24 11	24 16	1 14	3 30
17	1 23	20 2	20 23	2 9	19 46	19 25	3 20	24 22	24 27	1 15	3 36
19	1 8	20 43	21 3	2 6	19 4	18 42	3 25	24 33	24 38	1 15	3 41
21	0 52	21 23	21 41	2 2	18 20	17 58	3 30	24 44	24 50	1 16	3 46
23	0 37	21 59	22 16	1 58	17 35	17 11	3 35	24 56	25 1	1 16	3 50
25	0 21	22 32	22 47	1 53	16 48	16 24	3 40	25 7	25 13	1 17	3 55
27	0N 6	23 1	23 14	1 47	15 59	15 34	3 44	25 18	25 24	1 17	3 59
29	0S 8	23 26	23S37	1 41	15 9	14S43	3 48	25 30	25N35	1 18	4 3
31	0S23	23S47		1S35	14S18		3N52	25N40		1N18	4S 6

First Quarter—December 2, 6*h.* 17*m.* *a.m.* (10° ♓ 20′)

FULL MOON—December 9, 11*h*. 41*m*. *p.m.* (18° ♊ 10′)

D M	☿ Long.	♀ Long.	♂ Long.	♃ Long.	♄ Long.	♅ Long.	♆ Long.	♇ Long.	Lunar Aspects ☉	☿	♀	♂	♃	♄	♅	♆	♇
	° ′	° ′	° ′	° ′	° ′	° ′	° ′	° ′									
1	22♏12	21♑28	27♋35	9♎47	13♒35	15♑58	17♑17	23♏31			∠				∠	∠	
2	22 D 20	22 39	27 R 32	9 56	13 40	16 1	17 19	23 34	□			⚼		⚺	✱	✱	
3	22 36	23 50	27 29	10 5	13 44	16 4	17 21	23 36		△	✱	△		∠			△
4	23 2	25 0	27 25	10 14	13 49	16 7	17 23	23 38	△	⚼			☍				⚼
5	23 36	26 11	27 20	10 23	13 53	16 10	17 25	23 41						✱	□	□	
6	24 17	27 22	27 14	10 32	13 58	16 14	17 27	23 43	⚼		□	□					
7	25 4	28 32	27 7	10 40	14 3	16 17	17 28	23 45						□	△	△	
8	25 57	29♑43	27 0	10 49	14 8	16 20	17 31	23 48		☍	△	✱	⚼		⚼	⚼	☍
9	26 55	0♒53	26 51	10 57	14 13	16 23	17 33	23 50	●–●		⚼	∠	△	△			
10	27 57	2 4	26 42	11 5	14 18	16 26	17 35	23 52				⚺		⚼			
11	29♏ 2	3 14	26 32	11 14	14 23	16 30	17 37	23 54		⚼			□				⚼
12	0♐11	4 24	26 21	11 22	14 28	16 33	17 39	23 57				☌			☍	☍	△
13	1 23	5 34	26 9	11 29	14 33	16 36	17 41	23 59	⚼	△	☍		✱	☍			
14	2 38	6 43	25 57	11 37	14 39	16 40	17 43	24 1	△			⚺	∠				□
15	3 54	7 53	25 43	11 45	14 44	16 43	17 45	24 3		□		∠	⚺		⚼	⚼	
16	5 13	9 3	25 29	11 52	14 49	16 46	17 47	24 5	□		⚼	✱			△	△	✱
17	6 32	10 12	25 14	11 59	14 55	16 50	17 49	24 7		✱	△			⚼			∠
18	7 54	11 21	24 59	12 7	15 0	16 53	17 51	24 10		∠		□	☌	△	□	□	⚺
19	9 17	12 30	24 42	12 14	15 6	16 56	17 54	24 12	✱								
20	10 40	13 39	24 25	12 21	15 12	17 0	17 56	24 14	∠	⚺	□		⚺	□	✱	✱	
21	12 5	14 48	24 7	12 27	15 18	17 3	17 58	24 16	⚺			△	∠		∠	∠	☌
22	13 31	15 57	23 48	12 34	15 23	17 7	18 0	24 18		☌	✱	⚼	✱	✱	⚺	⚺	
23	14 57	17 6	23 29	12 40	15 29	17 10	18 2	24 20						∠			⚺
24	16 24	18 14	23 9	12 47	15 35	17 14	18 5	24 22	●		∠		□				∠
25	17 51	19 22	22 49	12 53	15 41	17 17	18 7	24 24		⚺	⚺	☍		⚺	☌	☌	✱
26	19 20	20 30	22 28	12 59	15 47	17 21	18 9	24 26	⚺	∠							
27	20 48	21 38	22 7	13 5	15 53	17 24	18 11	24 28					△	☌	⚺	⚺	
28	22 17	22 46	21 45	13 10	15 59	17 28	18 13	24 30	∠	✱	☌		⚼		∠		□
29	23 47	23 53	21 22	13 16	16 5	17 31	18 16	24 32	✱			⚼				∠	
30	25 17	25 0	21 0	13 21	16 12	17 35	18 18	24 34		□	⚺	△		⚺	✱	✱	△
31	26♐47	26♒ 7	20♋37	13♎27	16♒18	17♑38	18♑20	24♏35						∠			

D M	Saturn Lat.	Saturn Dec.	Uranus Lat.	Uranus Dec.	Neptune Lat.	Neptune Dec.	Pluto Lat.	Pluto Dec.
	° ′	° ′	° ′	° ′	° ′	° ′	° ′	° ′
1	1 S 1	17 S 43	0 S 25	22 S 54	0 N 41	21 S 39	14 N 5	4 S 59
3	1 1	17 41	0 25	22 53	0 41	21 38	14 6	5 0
5	1 1	17 38	0 25	22 52	0 41	21 38	14 6	5 1
7	1 1	17 35	0 25	22 51	0 41	21 37	14 6	5 2
9	1 1	17 32	0 25	22 51	0 41	21 37	14 6	5 2
11	1 1	17 29	0 25	22 50	0 41	21 36	14 7	5 3
13	1 1	17 26	0 25	22 49	0 41	21 36	14 7	5 4
15	1 1	17 23	0 25	22 48	0 41	21 35	14 7	5 5
17	1 1	17 20	0 25	22 47	0 41	21 35	14 8	5 5
19	1 1	17 17	0 25	22 46	0 41	21 34	14 8	5 6
21	1 1	17 13	0 25	22 46	0 41	21 34	14 8	5 6
23	1 1	17 10	0 25	22 45	0 41	21 33	14 9	5 7
25	1 1	17 6	0 25	22 44	0 40	21 33	14 9	5 7
27	1 1	17 3	0 25	22 43	0 40	21 32	14 10	5 8
29	1 1	16 59	0 25	22 42	0 40	21 32	14 10	5 8
31	1 S 1	16 S 55	0 S 25	22 S 41	0 N 40	21 S 31	14 N 11	5 S 8

1. ☉ ✱ ♃, ⊥ ♅. ☿ **Stat.**
2. ☿ ✱ ♀. **3.** ☉ ⊥ ♆. ♀ ✱ ♇.
4. ☉ ⚼ ♂. ♀ **P** ♂.
5. ☉ ✱ ♄. ☿ ☌ ♇.
6. ♀ ☍ ♂. ♀ **P** ♅.
7. ☉ **P** ♀. **8.** ☉ ⚺ ♅. ☿ ∠ ♃.
9. ☉ ⚺ ♆. ☿ △ ♂. ☉ **P** ♅.
10. ☿ **P** ♄. **11.** ♀ **P** ♆.
12. ☉ ± ♂.
13. ☿ ∠ ♅. ♀ **Q** ♇.
14. ☿ **Q** ♄, ∠ ♆.
15. ☉ **Q** ♃, ⚺ ♇.
17. ☉ ∇ ♂. ☿ **P** ♀.
19. ☿ ⚼ ♂. ♀ △ ♃. **20.** ☿ ⊥ ♅.
21. ☉ ∠ ♄, ⊥ ♇. ☿ ✱ ♃, ⊥ ♆. ♀ ☌ ♄. ♂ △ ♇.
22. ☉ ∠ ♀. ☿ **P** ♆.
23. ☿ ✱ ♄. ♀ ⚺ ♅.
24. ☿ ± ♂. ♀ ⚺ ♆. ♀ **P** ♄.
25. ☿ ⚺ ♅, ⚺ ♆.
26. ☿ **P** ♅. **27.** ♀ ∇ ♂.
28. ☿ ∇ ♂. ☉ **P** ☿.
29. ☿ ✱ ♀. ♀ ⊥ ♅, ⊥ ♆.
30. ☿ **Q** ♃, ⚺ ♇. ♀ □ ♇.
31. ☉ ⊥ ♄, ∠ ♇. ♀ ± ♂.

LAST QUARTER—December 16, 7*h*. 13*m*. *p.m.* (25° ♍ 6′)

DAILY MOTIONS OF THE PLANETS, 1992

JANUARY

D	☉ °	'	"	☽ °	'	"	☽Dec. °	'	☿ °	'	♀ °	'	♂ '
1	1	1	11	12	8	42	1	0	1	14	1	12	44
2	1	1	11	12	0	16	0	10	1	16	1	12	44
3	1	1	11	11	54	2	1	18	1	17	1	13	44
4	1	1	11	11	49	52	2	20	1	19	1	13	44
5	1	1	11	11	47	45	3	13	1	20	1	13	44
6	1	1	10	11	47	48	3	55	1	21	1	13	44
7	1	1	10	11	50	16	4	27	1	22	1	13	44
8	1	1	10	11	55	33	4	49	1	23	1	13	44
9	1	1	9	12	4	2	5	2	1	24	1	13	45
10	1	1	9	12	16	8	5	6	1	25	1	13	45
11	1	1	8	12	32	6	4	59	1	26	1	13	45
12	1	1	8	12	51	58	4	40	1	27	1	13	45
13	1	1	7	13	15	22	4	5	1	27	1	13	45
14	1	1	7	13	41	22	3	12	1	28	1	13	45
15	1	1	6	14	8	24	1	56	1	29	1	13	45
16	1	1	5	14	34	11	0	22	1	29	1	13	45
17	1	1	5	14	55	56	1	24	1	30	1	13	45
18	1	1	4	15	10	45	3	6	1	30	1	13	45
19	1	1	3	15	16	20	4	32	1	31	1	13	45
20	1	1	3	15	11	40	5	31	1	32	1	13	45
21	1	1	2	14	57	17	6	1	1	32	1	13	45
22	1	1	1	14	35	14	6	5	1	33	1	13	45
23	1	1	1	14	8	28	5	48	1	33	1	13	45
24	1	1	0	13	40	2	5	14	1	34	1	14	45
25	1	1	0	13	12	35	4	28	1	35	1	14	45
26	1	0	59	12	48	0	3	31	1	35	1	14	45
27	1	0	59	12	27	24	2	27	1	36	1	14	45
28	1	0	58	12	11	15	1	18	1	36	1	14	45
29	1	0	58	11	59	33	0	7	1	37	1	14	45
30	1	0	57	11	51	57	1	1	1	38	1	14	45
31	1	0	56	11	47	56	2	4	1	38	1	14	45

FEBRUARY

D	☉ °	'	"	☽ °	'	"	☽Dec. °	'	☿ °	'	♀ °	'	♂ '
1	1	0	55	11	46	56	2	59	1	39	1	14	45
2	1	0	54	11	48	25	3	44	1	40	1	14	45
3	1	0	53	11	51	56	4	20	1	41	1	14	45
4	1	0	52	11	57	9	4	45	1	41	1	14	46
5	1	0	50	12	3	59	5	0	1	42	1	14	46
6	1	0	49	12	12	31	5	5	1	43	1	14	46
7	1	0	48	12	22	59	4	59	1	44	1	14	46
8	1	0	46	12	35	44	4	42	1	44	1	14	46
9	1	0	45	12	51	7	4	11	1	45	1	14	46
10	1	0	43	13	9	18	3	24	1	46	1	14	46
11	1	0	42	13	30	10	2	19	1	47	1	14	46
12	1	0	40	13	53	4	0	57	1	48	1	14	46
13	1	0	38	14	16	40	0	38	1	48	1	14	46
14	1	0	37	14	38	53	2	17	1	49	1	14	46
15	1	0	35	14	57	0	3	48	1	50	1	14	46
16	1	0	33	15	8	11	5	1	1	50	1	14	46
17	1	0	32	15	10	8	5	50	1	51	1	14	46
18	1	0	30	15	1	52	6	11	1	51	1	14	46
19	1	0	28	14	44	8	6	6	1	52	1	14	46
20	1	0	27	14	19	15	5	39	1	52	1	14	46
21	1	0	26	13	50	26	4	55	1	52	1	14	46
22	1	0	24	13	20	54	3	58	1	52	1	14	46
23	1	0	23	12	53	21	2	52	1	52	1	14	46
24	1	0	22	12	29	41	1	40	1	51	1	14	46
25	1	0	20	12	10	57	0	28	1	51	1	14	46
26	1	0	19	11	57	34	0	42	1	49	1	14	46
27	1	0	17	11	49	28	1	46	1	48	1	14	46
28	1	0	16	11	46	12	2	43	1	46	1	14	46
29	1	0	14	11	47	8	3	31	1	43	1	14	46

MARCH

D	☉ °	'	"	☽ °	'	"	☽Dec. °	'	☿ °	'	♀ °	'	♂ '
1	1	0	13	11	51	28	4	9	1	41	1	14	46
2	1	0	11	11	58	22	4	38	1	37	1	14	46
3	1	0	9	12	7	3	4	57	1	33	1	14	46
4	1	0	7	12	16	48	5	5	1	29	1	14	46
5	1	0	5	12	27	9	5	2	1	24	1	14	46
6	1	0	3	12	37	54	4	47	1	18	1	14	46
7	1	0	1	12	49	6	4	18	1	12	1	14	46
8	0	59	59	13	1	4	3	34	1	5	1	14	46
9	0	59	57	13	14	12	2	33	0	58	1	14	46
10	0	59	55	13	28	51	1	18	0	50	1	14	46
11	0	59	53	13	45	2	0	9	0	42	1	14	46
12	0	59	51	14	2	19	1	41	0	34	1	14	46
13	0	59	48	14	19	34	3	9	0	26	1	14	46
14	0	59	46	14	34	57	4	24	0	17	1	14	46
15	0	59	44	14	46	9	5	21	0	9	1	14	46
16	0	59	41	14	50	51	5	55	0	0	1	14	46
17	0	59	39	14	47	22	6	5	0	8	1	14	46
18	0	59	37	14	35	20	5	52	0	16	1	14	46
19	0	59	35	14	15	50	5	18	0	23	1	14	46
20	0	59	34	13	51	9	4	27	0	30	1	14	46
21	0	59	32	13	24	8	3	22	0	36	1	14	46
22	0	59	30	12	57	34	2	9	0	41	1	14	46
23	0	59	28	12	33	43	0	53	0	45	1	14	46
24	0	59	26	12	14	9	0	20	0	49	1	14	46
25	0	59	25	11	59	48	1	27	0	51	1	14	47
26	0	59	23	11	50	59	2	26	0	52	1	14	47
27	0	59	21	11	47	38	3	16	0	52	1	14	47
28	0	59	19	11	49	21	3	56	0	51	1	14	47
29	0	59	17	11	55	27	4	28	0	49	1	14	47
30	0	59	15	12	5	4	4	50	0	46	1	14	47
31	0	59	13	12	17	8	5	2	0	42	1	14	47

APRIL

D	☉ °	'	"	☽ °	'	"	☽Dec. °	'	☿ °	'	♀ °	'	♂ '
1	0	59	12	12	30	34	5	4	0	38	1	14	47
2	0	59	10	12	44	19	4	53	0	34	1	14	47
3	0	59	8	12	57	33	4	28	0	29	1	14	47
4	0	59	5	13	9	46	3	47	0	23	1	14	47
5	0	59	3	13	20	48	2	49	0	18	1	14	47
6	0	59	1	13	30	54	1	35	0	12	1	14	47
7	0	58	59	13	40	29	0	10	0	7	1	14	46
8	0	58	57	13	49	57	1	19	0	1	1	14	46
9	0	58	54	13	59	28	2	44	0	4	1	14	46
10	0	58	52	14	8	44	3	58	0	9	1	14	46
11	0	58	50	14	16	55	4	55	0	14	1	14	46
12	0	58	47	14	22	43	5	33	0	19	1	14	46
13	0	58	45	14	24	37	5	51	0	24	1	14	46
14	0	58	43	14	21	19	5	49	0	28	1	14	46
15	0	58	41	14	12	10	5	26	0	32	1	14	46
16	0	58	39	13	57	25	4	45	0	36	1	14	46
17	0	58	37	13	38	14	3	47	0	40	1	14	46
18	0	58	35	13	16	27	2	38	0	44	1	14	46
19	0	58	33	12	54	8	1	22	0	47	1	14	46
20	0	58	32	12	33	16	0	5	0	51	1	14	46
21	0	58	30	12	15	27	1	6	0	54	1	14	46
22	0	58	28	12	1	50	2	9	0	57	1	14	46
23	0	58	27	11	53	9	3	1	1	0	1	14	46
24	0	58	25	11	49	46	3	44	1	3	1	14	46
25	0	58	23	11	51	38	4	16	1	6	1	14	46
26	0	58	22	11	58	27	4	40	1	8	1	14	46
27	0	58	20	12	9	37	4	56	1	11	1	14	46
28	0	58	18	12	24	13	5	2	1	13	1	14	46
29	0	58	17	12	41	6	4	56	1	15	1	14	46
30	0	58	15	12	58	55	4	38	1	18	1	14	46

MAY

D	☉	☽	☽Dec.	☿	♀	♂
	° ′ ″	° ′ ″	° ′	° ′	° ′	′
1	0 58 14	13 16 19	4 2	1 20	1 14	46
2	0 58 12	13 32 2	3 9	1 22	1 14	46
3	0 58 10	13 45 13	1 57	1 24	1 14	46
4	0 58 8	13 55 24	0 32	1 26	1 14	46
5	0 58 7	14 2 37	1 0	1 29	1 14	46
6	0 58 5	14 7 15	2 28	1 31	1 14	46
7	0 58 3	14 9 45	3 43	1 33	1 14	46
8	0 58 1	14 10 30	4 41	1 35	1 14	46
9	0 57 59	14 9 37	5 20	1 37	1 14	46
10	0 57 57	14 6 58	5 40	1 39	1 14	46
11	0 57 55	14 2 8	5 41	1 41	1 14	46
12	0 57 53	13 54 43	5 25	1 43	1 14	46
13	0 57 52	13 44 27	4 51	1 45	1 14	46
14	0 57 50	13 31 26	4 2	1 47	1 14	46
15	0 57 49	13 16 8	2 59	1 49	1 14	46
16	0 57 47	12 59 25	1 47	1 51	1 14	46
17	0 57 46	12 42 21	0 31	1 53	1 14	46
18	0 57 45	12 26 10	0 43	1 55	1 14	46
19	0 57 43	12 12 1	1 50	1 57	1 14	46
20	0 57 42	12 0 53	2 46	1 59	1 14	46
21	0 57 41	11 53 35	3 32	2 1	1 14	45
22	0 57 40	11 50 43	4 6	2 2	1 14	45
23	0 57 39	11 52 38	4 32	2 4	1 14	45
24	0 57 38	11 59 24	4 48	2 6	1 14	45
25	0 57 37	12 10 52	4 56	2 7	1 14	45
26	0 57 36	12 26 33	4 55	2 9	1 14	45
27	0 57 35	12 45 35	4 42	2 10	1 14	45
28	0 57 34	13 6 47	4 15	2 11	1 14	45
29	0 57 33	13 28 35	3 30	2 11	1 14	45
30	0 57 32	13 49 15	2 25	2 12	1 14	45
31	0 57 31	14 7 6	1 3	2 12	1 14	45

JUNE

D	☉	☽	☽Dec.	☿	♀	♂
	° ′ ″	° ′ ″	° ′	° ′	° ′	′
1	0 57 30	14 20 41	0 32	2 12	1 14	45
2	0 57 29	14 29 5	2 6	2 12	1 14	45
3	0 57 28	14 32 3	3 30	2 11	1 14	45
4	0 57 27	14 29 58	4 35	2 10	1 14	45
5	0 57 26	14 23 36	5 18	2 9	1 14	45
6	0 57 24	14 14 0	5 39	2 8	1 14	45
7	0 57 23	14 2 10	5 41	2 6	1 14	45
8	0 57 22	13 48 59	5 26	2 4	1 14	45
9	0 57 21	13 35 4	4 56	2 2	1 14	45
10	0 57 20	13 20 51	4 11	2 0	1 14	44
11	0 57 19	13 6 38	3 13	1 58	1 14	44
12	0 57 18	12 52 38	2 5	1 56	1 14	44
13	0 57 18	12 39 7	0 52	1 54	1 14	44
14	0 57 17	12 26 22	0 22	1 52	1 14	44
15	0 57 16	12 14 48	1 31	1 49	1 14	44
16	0 57 16	12 4 54	2 30	1 47	1 14	44
17	0 57 15	11 57 11	3 19	1 45	1 14	44
18	0 57 15	11 52 13	3 57	1 42	1 14	44
19	0 57 15	11 50 34	4 24	1 40	1 14	44
20	0 57 14	11 52 43	4 42	1 37	1 14	44
21	0 57 14	11 59 3	4 51	1 35	1 14	44
22	0 57 14	12 9 48	4 52	1 33	1 14	44
23	0 57 14	12 24 57	4 43	1 30	1 14	44
24	0 57 14	12 44 12	4 22	1 28	1 14	44
25	0 57 14	13 6 46	3 46	1 25	1 14	44
26	0 57 14	13 31 28	2 52	1 23	1 14	43
27	0 57 14	13 56 30	1 38	1 20	1 14	43
28	0 57 14	14 19 44	0 8	1 17	1 14	43
29	0 57 14	14 38 49	1 30	1 15	1 14	43
30	0 57 14	14 51 36	3 4	1 12	1 14	43

JULY

D	☉	☽	☽Dec.	☿	♀	♂
	° ′ ″	° ′ ″	° ′	° ′	° ′	′
1	0 57 14	14 56 39	4 21	1 9	1 14	43
2	0 57 13	14 53 36	5 16	1 6	1 14	43
3	0 57 13	14 43 10	5 45	1 3	1 14	43
4	0 57 13	14 27 3	5 51	1 0	1 14	43
5	0 57 12	14 7 20	5 37	0 57	1 14	43
6	0 57 12	13 46 10	5 7	0 54	1 14	43
7	0 57 12	13 25 16	4 22	0 51	1 14	43
8	0 57 12	13 5 51	3 26	0 47	1 14	43
9	0 57 12	12 48 37	2 21	0 44	1 14	42
10	0 57 12	12 33 51	1 10	0 40	1 14	42
11	0 57 12	12 21 29	0 3	0 36	1 14	42
12	0 57 12	12 11 23	1 12	0 32	1 14	42
13	0 57 12	12 3 21	2 14	0 28	1 14	42
14	0 57 13	11 57 14	3 6	0 24	1 14	42
15	0 57 13	11 53 2	3 47	0 19	1 14	42
16	0 57 13	11 50 51	4 17	0 15	1 14	42
17	0 57 14	11 50 58	4 37	0 10	1 14	42
18	0 57 15	11 53 46	4 48	0 5	1 14	42
19	0 57 15	11 59 41	4 50	0 0	1 14	42
20	0 57 16	12 9 12	4 42	0 5	1 14	41
21	0 57 17	12 22 39	4 25	0 10	1 14	41
22	0 57 18	12 40 13	3 54	0 15	1 14	41
23	0 57 19	13 1 43	3 9	0 19	1 14	41
24	0 57 20	13 26 31	2 6	0 24	1 14	41
25	0 57 21	13 53 18	0 46	0 28	1 14	41
26	0 57 22	14 20 4	0 46	0 32	1 14	41
27	0 57 22	14 44 6	2 23	0 36	1 14	41
28	0 57 23	15 2 24	3 51	0 39	1 14	41
29	0 57 24	15 12 14	5 0	0 42	1 14	41
30	0 57 25	15 11 59	5 44	0 44	1 14	40
31	0 57 25	15 1 38	6 1	0 45	1 14	40

AUGUST

D	☉	☽	☽Dec.	☿	♀	♂
	° ′ ″	° ′ ″	° ′	° ′	° ′	′
1	0 57 26	14 42 49	5 54	0 45	1 14	40
2	0 57 27	14 18 20	5 27	0 45	1 14	40
3	0 57 27	13 51 21	4 42	0 44	1 14	40
4	0 57 28	13 24 39	3 45	0 42	1 14	40
5	0 57 29	13 0 17	2 39	0 39	1 14	40
6	0 57 30	12 39 27	1 28	0 35	1 14	40
7	0 57 30	12 22 40	0 15	0 31	1 14	40
8	0 57 31	12 9 57	0 54	0 26	1 14	39
9	0 57 32	12 0 55	1 57	0 20	1 14	39
10	0 57 33	11 55 4	2 51	0 14	1 14	39
11	0 57 34	11 51 52	3 35	0 8	1 14	39
12	0 57 35	11 50 48	4 9	0 1	1 14	39
13	0 57 36	11 51 32	4 32	0 6	1 14	39
14	0 57 38	11 53 54	4 45	0 13	1 14	39
15	0 57 39	11 57 58	4 49	0 21	1 14	39
16	0 57 41	12 4 1	4 43	0 28	1 14	38
17	0 57 42	12 12 29	4 27	0 35	1 14	38
18	0 57 44	12 23 52	3 59	0 43	1 14	38
19	0 57 45	12 38 39	3 19	0 50	1 14	38
20	0 57 47	12 57 7	2 24	0 57	1 14	38
21	0 57 49	13 19 12	1 14	1 3	1 14	38
22	0 57 51	13 44 13	0 9	1 10	1 14	38
23	0 57 52	14 10 43	1 39	1 16	1 14	37
24	0 57 54	14 36 22	3 8	1 21	1 14	37
25	0 57 56	14 58 3	4 26	1 27	1 14	37
26	0 57 57	15 12 28	5 24	1 32	1 14	37
27	0 57 59	15 16 53	5 58	1 36	1 14	37
28	0 58 0	15 10 8	6 5	1 40	1 14	37
29	0 58 2	14 53 5	5 47	1 43	1 14	37
30	0 58 3	14 28 19	5 8	1 46	1 14	36
31	0 58 5	13 59 21	4 12	1 49	1 14	36

SEPTEMBER

D	☉ °	′	″	☽ °	′	″	☽Dec. °	′	☿ °	′	♀ °	′	♂ ′
1	0	58	6	13	29	40	3	5	1	51	1	14	36
2	0	58	8	13	1	59	1	51	1	53	1	14	36
3	0	58	9	12	38	11	0	36	1	54	1	14	36
4	0	58	11	12	19	10	0	36	1	55	1	14	36
5	0	58	12	12	5	12	1	41	1	55	1	14	35
6	0	58	13	11	56	3	2	37	1	56	1	14	35
7	0	58	15	11	51	11	3	23	1	56	1	14	35
8	0	58	17	11	49	53	3	58	1	56	1	14	35
9	0	58	18	11	51	24	4	24	1	55	1	14	35
10	0	58	20	11	55	1	4	41	1	55	1	14	34
11	0	58	22	12	0	7	4	48	1	54	1	14	34
12	0	58	24	12	6	23	4	45	1	53	1	14	34
13	0	58	26	12	13	39	4	31	1	52	1	14	34
14	0	58	28	12	22	7	4	5	1	52	1	14	34
15	0	58	30	12	32	9	3	27	1	51	1	14	34
16	0	58	32	12	44	16	2	36	1	50	1	13	33
17	0	58	34	12	58	57	1	31	1	49	1	13	33
18	0	58	36	13	16	31	0	15	1	48	1	13	33
19	0	58	38	13	36	48	1	8	1	47	1	13	33
20	0	58	41	13	59	3	2	32	1	46	1	13	32
21	0	58	43	14	21	37	3	49	1	45	1	13	32
22	0	58	45	14	42	6	4	52	1	44	1	13	32
23	0	58	47	14	57	28	5	36	1	43	1	13	32
24	0	58	49	15	4	54	5	58	1	42	1	13	32
25	0	58	51	15	2	31	5	55	1	41	1	13	31
26	0	58	53	14	50	5	5	28	1	40	1	13	31
27	0	58	55	14	29	13	4	41	1	39	1	13	31
28	0	58	57	14	2	48	3	36	1	38	1	13	31
29	0	58	59	13	34	8	2	21	1	37	1	13	30
30	0	59	1	13	6	13	1	2	1	36	1	13	30

OCTOBER

D	☉ °	′	″	☽ °	′	″	☽Dec. °	′	☿ °	′	♀ °	′	♂ ′
1	0	59	3	12	41	21	0	14	1	36	1	13	30
2	0	59	5	12	20	57	1	23	1	35	1	13	29
3	0	59	6	12	5	43	2	22	1	34	1	13	29
4	0	59	8	11	55	49	3	10	1	33	1	13	29
5	0	59	10	11	50	55	3	48	1	32	1	13	29
6	0	59	12	11	50	31	4	16	1	32	1	13	28
7	0	59	13	11	53	49	4	35	1	31	1	13	28
8	0	59	15	12	0	1	4	45	1	30	1	13	28
9	0	59	17	12	8	13	4	45	1	29	1	13	27
10	0	59	19	12	17	40	4	35	1	28	1	13	27
11	0	59	21	12	27	44	4	13	1	28	1	13	27
12	0	59	23	12	38	4	3	38	1	27	1	13	26
13	0	59	25	12	48	37	2	48	1	26	1	13	26
14	0	59	28	12	59	35	1	45	1	25	1	13	26
15	0	59	30	13	11	20	0	31	1	24	1	13	25
16	0	59	32	13	24	14	0	49	1	23	1	13	25
17	0	59	35	13	38	26	2	9	1	22	1	13	25
18	0	59	37	13	53	42	3	23	1	22	1	13	24
19	0	59	39	14	9	12	4	25	1	20	1	13	24
20	0	59	41	14	23	30	5	11	1	19	1	13	23
21	0	59	44	14	34	40	5	39	1	18	1	13	23
22	0	59	46	14	40	38	5	46	1	17	1	13	23
23	0	59	48	14	39	46	5	33	1	16	1	13	22
24	0	59	50	14	31	21	4	58	1	14	1	13	22
25	0	59	52	14	15	55	4	3	1	13	1	13	21
26	0	59	54	13	55	6	2	53	1	11	1	13	21
27	0	59	56	13	31	12	1	34	1	9	1	13	20
28	0	59	58	13	6	40	0	13	1	7	1	13	20
29	0	59	59	12	43	40	1	1	1	4	1	13	20
30	1	0	1	12	23	52	2	5	1	2	1	13	19
31	1	0	3	12	8	22	2	57	0	59	1	13	19

NOVEMBER

D	☉ °	′	″	☽ °	′	″	☽Dec. °	′	☿ °	′	♀ °	′	♂ ′
1	1	0	4	11	57	47	3	38	0	56	1	13	18
2	1	0	6	11	52	19	4	7	0	52	1	13	18
3	1	0	7	11	51	48	4	28	0	48	1	13	17
4	1	0	9	11	55	50	4	40	0	43	1	12	16
5	1	0	10	12	3	46	4	43	0	38	1	12	16
6	1	0	12	12	14	45	4	37	0	33	1	12	15
7	1	0	14	12	27	53	4	20	0	26	1	12	15
8	1	0	15	12	42	7	3	50	0	20	1	12	14
9	1	0	17	12	56	33	3	5	0	12	1	12	14
10	1	0	19	13	10	23	2	4	0	4	1	12	13
11	1	0	21	13	23	7	0	50	0	5	1	12	12
12	1	0	22	13	34	29	0	31	0	15	1	12	12
13	1	0	24	13	44	31	1	53	0	25	1	12	11
14	1	0	26	13	53	18	3	8	0	35	1	12	10
15	1	0	28	14	0	57	4	10	0	46	1	12	10
16	1	0	30	14	7	21	4	56	0	55	1	12	9
17	1	0	32	14	12	9	5	25	1	4	1	12	8
18	1	0	33	14	14	47	5	35	1	12	1	12	8
19	1	0	35	14	14	28	5	27	1	18	1	12	7
20	1	0	37	14	10	31	5	1	1	21	1	12	6
21	1	0	39	14	2	33	4	17	1	22	1	12	5
22	1	0	40	13	50	36	3	16	1	20	1	12	5
23	1	0	42	13	35	14	2	2	1	15	1	12	4
24	1	0	43	13	17	29	0	43	1	8	1	12	3
25	1	0	44	12	58	40	0	35	0	59	1	11	2
26	1	0	46	12	40	13	1	44	0	49	1	11	2
27	1	0	47	12	23	26	2	42	0	38	1	11	1
28	1	0	48	12	9	29	3	27	0	26	1	11	0
29	1	0	49	11	59	15	4	0	0	15	1	11	1
30	1	0	49	11	53	21	4	22	0	3	1	11	2

DECEMBER

D	☉ °	′	″	☽ °	′	″	☽Dec. °	′	☿ °	′	♀ °	′	♂ ′
1	1	0	50	11	52	8	4	35	0	7	1	11	2
2	1	0	51	11	55	44	4	41	0	17	1	11	3
3	1	0	52	12	3	57	4	37	0	26	1	11	4
4	1	0	53	12	16	24	4	25	0	34	1	11	5
5	1	0	54	12	32	21	4	1	0	41	1	11	6
6	1	0	55	12	50	49	3	22	0	47	1	11	7
7	1	0	55	13	10	32	2	28	0	53	1	10	8
8	1	0	56	13	30	5	1	18	0	58	1	10	8
9	1	0	57	13	47	58	0	4	1	2	1	10	9
10	1	0	58	14	2	51	1	31	1	6	1	10	10
11	1	0	59	14	13	45	2	53	1	9	1	10	11
12	1	1	0	14	20	9	4	2	1	12	1	10	12
13	1	1	1	14	22	2	4	52	1	14	1	10	13
14	1	1	2	14	19	52	5	23	1	16	1	10	13
15	1	1	3	14	14	25	5	34	1	18	1	10	14
16	1	1	4	14	6	30	5	27	1	20	1	9	15
17	1	1	5	13	56	52	5	3	1	21	1	9	16
18	1	1	6	13	46	4	4	24	1	23	1	9	16
19	1	1	7	13	34	26	3	29	1	24	1	9	17
20	1	1	7	13	22	9	2	22	1	25	1	9	18
21	1	1	8	13	9	20	1	8	1	26	1	9	19
22	1	1	9	12	56	7	0	9	1	26	1	9	19
23	1	1	9	12	42	46	1	21	1	27	1	8	20
24	1	1	9	12	29	43	2	23	1	28	1	8	20
25	1	1	9	12	17	30	3	14	1	28	1	8	21
26	1	1	10	12	6	50	3	51	1	29	1	8	21
27	1	1	10	11	58	27	4	17	1	29	1	8	22
28	1	1	10	11	53	4	4	32	1	30	1	7	22
29	1	1	10	11	51	23	4	38	1	30	1	7	23
30	1	1	9	11	53	56	4	37	1	30	1	7	23
31	1	1	9	12	1	7	4	26	1	31	1	7	23

JANUARY

D.M.			
2	8.26	P.M.	☽ Max. Dec. 24° S. 52′.
3	3.00	P.M.	⊕ in Perihelion.
4	11.10	P.M.	● Annular Eclipse.
6	11.40	A.M.	☽ in Apogee.
10	9.53	A.M.	☽ on Equator.
11	10.44	A.M.	☿ in ☋.
17	5.07	A.M.	☽ Max. Dec. 24° N. 52′.
19	10.13	P.M.	☽ in Perigee.
21	6.46	P.M.	☿ in Aphelion.
23	4.36	A.M.	☽ on Equator.
30	2.30	A.M.	☽ Max. Dec. 24° S. 50′.

FEBRUARY

D.M.			
2	11.49	A.M.	☽ in Apogee.
6	4.08	P.M.	☽ on Equator.
12	8.43	A.M.	☿ Sup. ☌ ☉.
13	2.48	P.M.	☽ Max. Dec. 24° N. 45′.
17	10.50	A.M.	☽ in Perigee.
17	3.23	P.M.	♀ in ☋.
19	3.49	P.M.	☽ on Equator.
26	9.20	A.M.	☽ Max. Dec. 24° S. 39′.
29	8.52	P.M.	☽ in Apogee.

MARCH

D.M.			
1	2.45	A.M.	☿ in ☊.
4	10.31	P.M.	☽ on Equator.
5	6.24	P.M.	☿ in Perihelion.
9	9.00	P.M.	☿ Gt. Elong. 18° E.
11	9.37	P.M.	☽ Max. Dec. 24° N. 30′.
16	5.40	P.M.	☽ in Perigee.
18	2.44	A.M.	☽ on Equator.
20	8.48	A.M.	☉ Enters ♈, Equinox.
23	9.17	A.M.	♀ in Aphelion.
24	5.12	P.M.	☽ Max. Dec. 24° S. 24′.
26	2.55	P.M.	☿ Inf. ☌ ☉.
28	2.15	P.M.	☽ in Apogee.

APRIL

D.M.			
1	5.26	A.M.	☽ on Equator.
8	2.41	A.M.	☽ Max. Dec. 24° N. 15′.
8	9.59	A.M.	☿ in ☋.
13	6.54	A.M.	☽ in Perigee.
14	11.12	A.M.	☽ on Equator.
18	6.01	P.M.	☿ in Aphelion.
21	1.36	A.M.	☽ Max. Dec. 24° S. 10′.
23	3.00	P.M.	☿ Gt. Elong. 27° W.
25	9.48	A.M.	☽ in Apogee.
28	0.53	P.M.	☽ on Equator.

MAY

D.M.			
5	8.21	A.M.	☽ Max. Dec. 24° N. 6′.
8	11.41	A.M.	☽ in Perigee.
11	5.01	P.M.	☽ on Equator.
17	2.08	P.M.	♂ in Perihelion.
18	9.39	A.M.	☽ Max. Dec. 24° S. 4′.
23	4.52	A.M.	☽ in Apogee.
25	8.36	P.M.	☽ on Equator.
28	2.00	A.M.	☿ in ☊.
31	4.21	P.M.	☿ Sup. ☌ ☉.

JUNE

D.M.			
1	4.10	P.M.	☽ Max. Dec. 24° N. 3′.
1	5.39	P.M.	☿ in Perihelion.
4	2.00	A.M.	☽ in Perigee.
7	9.57	P.M.	☽ on Equator.
9	6.46	P.M.	♀ in ☊.
13	4.30	P.M.	♀ Sup. ☌ ☉.
14	4.48	P.M.	☽ Max. Dec. 24° S. 3′.
15	4.50	A.M.	☽ Partial Eclipse.
19	9.55	P.M.	☽ in Apogee.
21	3.14	A.M.	☉ Enters ♋, Solstice.
22	4.12	A.M.	☽ on Equator.
29	1.59	A.M.	☽ Max. Dec. 24° N. 4′.
30	0.18	P.M.	● Total Eclipse.

JULY

D.M.			
2	0.33	A.M.	☽ in Perigee.
3	0.00	P.M.	⊕ in Aphelion.
5	4.16	A.M.	☽ on Equator.
5	9.14	A.M.	☿ in ☋.
6	1.00	A.M.	☿ Gt. Elong. 26° E.
11	11.05	P.M.	☽ Max. Dec. 24° S. 3′.
13	6.12	P.M.	♀ in Perihelion.
15	5.16	P.M.	☿ in Aphelion.
17	10.37	A.M.	☽ in Apogee.
19	11.20	A.M.	☽ on Equator.
26	0.24	P.M.	☽ Max. Dec. 24° N. 1′.
30	7.44	A.M.	☽ in Perigee.

AUGUST

D.M.			
1	1.05	P.M.	☽ on Equator.
2	8.43	P.M.	☿ Inf. ☌ ☉.
8	5.04	A.M.	☽ Max. Dec. 23° S. 58′.
13	3.38	P.M.	☽ in Apogee.
15	5.54	P.M.	☽ on Equator.
21	2.00	A.M.	☿ Gt. Elong. 19° W.
22	9.34	P.M.	☽ Max. Dec. 23° N. 51′.
24	1.15	A.M.	☿ in ☊.
27	5.37	P.M.	☽ in Perigee.
28	4.54	P.M.	☿ in Perihelion.
28	11.46	P.M.	☽ on Equator.

SEPTEMBER

D.M.			
4	11.36	A.M.	☽ Max. Dec. 23° S. 45′.
9	6.36	P.M.	☽ in Apogee.
12	0.07	A.M.	☽ on Equator.
15	3.48	A.M.	☿ Sup. ☌ ☉.
15	5.19	P.M.	♂ in ☊.
19	4.23	A.M.	☽ Max. Dec. 23° N. 35′.
22	6.43	P.M.	☉ Enters ♎, Equinox.
25	2.35	A.M.	☽ in Perigee.
25	10.29	A.M.	☽ on Equator.
29	8.10	A.M.	♀ in ☋.

OCTOBER

D.M.			
1	8.30	A.M.	☿ in ☋.
1	7.17	P.M.	☽ Max. Dec. 23° S. 29′.
7	5.45	A.M.	☽ in Apogee.
9	6.29	A.M.	☽ on Equator.
11	4.32	P.M.	☿ in Aphelion.
16	9.27	A.M.	☽ Max. Dec. 23° N. 21′.
22	7.19	P.M.	☽ on Equator.
23	4.43	A.M.	☽ in Perigee.
29	4.03	A.M.	☽ Max. Dec. 23° S. 17′.
31	4.00	P.M.	☿ Gt. Elong. 24° E.

NOVEMBER

D.M.			
3	0.42	A.M.	♀ in Aphelion.
3	11.25	P.M.	☽ in Apogee.
5	1.27	P.M.	☽ on Equator.
12	2.58	P.M.	☽ Max. Dec. 23° N. 14′.
19	0.01	A.M.	☽ in Perigee.
19	1.33	A.M.	☽ on Equator.
20	0.31	A.M.	☿ in ☊.
21	10.09	P.M.	☿ Inf. ☌ ☉.
24	4.10	P.M.	☿ in Perihelion.
25	1.04	P.M.	☽ Max. Dec. 23° S. 13′.

DECEMBER

D.M.			
1	8.09	P.M.	☽ in Apogee.
2	9.12	P.M.	☽ on Equator.
9	2.00	P.M.	☿ Gt. Elong. 21° W.
9	10.56	P.M.	☽ Max. Dec. 23° N. 13′.
9	11.41	P.M.	☽ Total Eclipse.
13	9.06	P.M.	☽ in Perigee.
16	6.42	A.M.	☽ on Equator.
21	2.43	P.M.	☉ Enters ♑, Solstice.
22	9.13	P.M.	☽ Max. Dec. 23° S. 13′.
24	0.43	A.M.	● Partial Eclipse.
28	7.45	A.M.	☿ in ☋.
29	5.04	P.M.	☽ in Apogee.
30	5.24	A.M.	☽ on Equator.

Showing the approximate time when each Aspect is formed.

a.m. denotes morning; *p.m.* denotes afternoon.

NOTE:—Semi-quintile, or 36° apart, ⊥; Bi-quintile, or 144° ±; Quincunx or 150° ⊼.

☽ ● ⬤ Eclipse of ☉. ☽ ●° ☉ Eclipse of ☽. ● Occultation by ☽.

JANUARY

Date	Aspect	Time	
1 W	☽ P ☉	2am27	G
	☽ P ♅	2 49	B
	☽ ∠ ♅	4 57	b
	☽ ☌ ♀	9 16	G
	☽ ∠ ♆	9 55	b
	☽ P ♂	11 46	B
	♀ ∠ ♆	4pm 2	
	☽ ✱ ♄	7 11	G
2 Th	☿ P ♆	1am18	
	☽ ⊻ ☉	5 17	g
	☽ ⊻ ♅	10 40	g
	☽ □ ♃	0pm21	B
	☽ ⊻ ♆	3 40	g
3 F	☽ ☌ ☿	0am 7	G
	☽ ∠ ♄	1 15	b
	☽ ⊻ ♇	3 24	g
	☽ ● ♂	10 15	B
	♀ ∠ ♄	11 46	
4 S	☽ ⊻ ♀	3 43	g
	☽ P ♂	3 57	B
	☿ ⊻ ♇	7 23	
	☽ ⊻ ♄	7 43	g
	☽ ∠ ♇	9 40	b
	☽ P ♅	3pm 0	B
	☽ P ☉	7 0	G
	☽ P ☿	10 54	G
	☽ ● ⬤	11 10	D
	☽ ● ♅	11 17	B
5 Su	☽ △ ♃	0am39	G
	☉ ☌ ♅	0 45	
	☽ ● ♆	4 17	D
	♀ P ♄	5 17	
	☽ P ♆	5 30	D
	☽ ∠ ♀	1pm35	b
	☉ △ ♃	4 8	
	☽ ✱ ♇	4 10	G
	☽ ⊻ ☿	8 11	g
	♀ ✱ ♄	10 44	
6 M	☽ P ♀	0am14	G
	☉ P ☿	1 23	
	☽ P ♄	1 48	B
	☽ ⊻ ♂	3 2	g
	☽ ⚼ ♃	7 6	b
	☽ ☌ ♄	9pm16	B
	☽ ✱ ♀	11 36	G
7 Tu	♂ ⊥ ♇	1am31	
	☽ ∠ ☿	6 39	b
	♀ ⊥ ♅	7 17	
	☽ ∠ ♂	11 36	b
	☉ ☌ ♆	0pm36	
	☽ ⊻ ♅	0 37	g
	☽ ⊻ ♆	5 29	g
	☽ ⊻ ☉	5 56	g
8 W	☽ □ ♇	5am18	B
	☿ P ♅	3pm35	
	☽ ✱ ☿	5 2	G
	☽ ∠ ♅	7 9	b
	☽ ✱ ♂	8 1	G
	☿ ⊥ ♇	8 43	
	☽ P ♃	11 5	G
	☽ ∠ ♆	11 56	b

Date	Aspect	Time	
9 Th	☽ ∠ ☉	3am 6	b
	♀ ⊥ ♆	8 15	
	☽ ⊻ ♄	10 34	g
	☽ P ♇	1pm54	D
	☽ □ ♀	7 5	B
10 F	☽ ✱ ♅	1am21	G
	☽ ☍ ♃	1 49	B
	☽ ✱ ♆	6 0	G
	☽ ✱ ☉	11 47	G
	☽ ∠ ♄	4pm39	b
	♂ ⊥ ♄	4 53	
	☽ △ ♇	5 26	G
	☿ ⊥ ♄	6 16	
	☿ ☌ ♂	7 33	
11 S	☽ P ♇	5am37	D
	☽ □ ♂	11 21	B
	☽ □ ☿	0pm19	B
	☽ P ♃	8 11	G
	☽ ✱ ♄	10 5	G
	☽ ⚼ ♇	10 39	b
12 Su	☽ △ ♀	11am55	G
	☽ □ ♅	11 56	B
	♀ ⊻ ♅	11 58	
	♀ □ ♃	0pm 4	
	♃ △ ♅	1 7	
	☽ □ ♆	4 15	B
	☉ P ♆	6 3	
13 M	☽ □ ☉	2am32	B
	☉ ✱ ♇	9 0	
	☽ ⚼ ♃	3pm46	b
	☽ ⚼ ♀	6 41	b
	☽ △ ♂	11 10	G
14 Tu	☽ △ ☿	3am35	G
	☽ □ ♄	6 22	B
	☽ P ♄	10 6	B
	♀ ⊻ ♆	10 28	
	☽ △ ♃	6pm39	G
	☽ △ ♅	7 3	G
	☽ △ ♆	11 0	G
15 W	☽ P ♀	1am31	G
	☽ P ☉	1 56	G
	☽ ⚼ ♂	3 24	b
	☽ P ♆	4 58	D
	☉ P ♀	5 49	
	☿ ∠ ♇	6 31	
	☿ ⊻ ♄	6 57	
	☽ ☍ ♇	8 59	B
	☽ ⚼ ☿	9 17	b
	☽ △ ☉	0pm42	G
	☽ P ♅	5 3	B
	☽ ⚼ ♅	9 10	b
16 Th	☽ ⚼ ♆	0am57	b
	☽ P ☿	1 3	G
	☽ P ♂	4 16	B
	☽ △ ♄	10 48	G
	☽ ⚼ ☉	4pm 2	b
	☽ □ ♃	9 39	B
17 F	☽ ☍ ♀	7am37	B
	☽ ⚼ ♄	11 43	b
18 S	♀ P ♆	3 20	
	☽ P ♂	5 54	B
	☉ ⊥ ♀	7 45	
	☽ P ☿	8 25	G

Date	Aspect	Time	
	☽ ☍ ♂	10 11	B
	☽ ⚼ ♇	11 30	b
	☽ P ♅	3pm55	B
	☽ ☍ ☿	7 46	B
	☽ ✱ ♃	9 49	G
	☽ ☍ ♅	10 56	B
19 Su	☽ P ♀	2am 3	G
	☽ ☍ ♆	2 20	B
	☽ P ♆	2 54	D
	♀ ⊻ ♇	5 16	
	☽ P ☉	11 2	G
	☽ △ ♇	11 15	G
	♂ ∠ ♇	1pm33	
	♀ ∠ ♄	2 1	
	♃ ± ♄	2 10	
	☿ △ ♃	3 41	
	☉ ⚼ ♃	7 45	
	☽ P ♄	8 24	B
	☽ ∠ ♃	9 21	b
	☽ ☍ ☉	9 28	B
20 M	☿ ☌ ♅	4am39	
	♂ ⊻ ♄	6 10	
	☽ ☍ ♄	11 41	B
	☽ ⚼ ♀	1pm24	b
	☽ ⊻ ♃	8 50	g
21 Tu	☽ □ ♇	10am34	B
	☽ ⚼ ♂	0pm51	b
	☿ ☌ ♆	2 52	
	☽ △ ♀	3 11	G
	☽ ⚼ ♅	10 14	b
	☽ P ♃	11 0	
22 W	☽ ⚼ ♆	1am35	b
	☽ ⚼ ☿	2 47	b
	☽ P ♇	0pm10	D
	☽ △ ♂	2 14	G
	☽ ☌ ♃	8 41	G
	☽ △ ♅	10 39	G
23 Th	☽ △ ♆	2am 3	G
	☽ ⚼ ☉	2 31	b
	☽ △ ☿	6 7	G
	☽ ✱ ♇	11 20	G
	☽ ⚼ ♄	0pm43	b
	☽ □ ♀	8 43	B
	☽ P ♇	9 22	D
24 F	♀ ⊥ ♇	4am57	
	☽ △ ☉	5 38	G
	☽ P ♃	11 42	G
	☽ ∠ ♇	0pm49	b
	☽ △ ♄	2 27	G
	☽ □ ♂	7 29	B
	☽ ⊻ ♃	11 13	g
25 S	☽ □ ♅	1am48	B
	☽ □ ♆	5 22	B
	☿ ✱ ♇	6 53	
	☉ Q ♇	9 59	
	☿ P ♅	11 28	
	☽ ⊻ ♇	3pm17	g
	☽ □ ☿	4 23	B
26 Su	☽ ∠ ♃	1am52	b
	☽ ✱ ♀	6 44	G
	☽ □ ☉	3pm27	B
	☽ P ♄	7 51	B
	☽ P ☉	8 34	G

Date	Aspect	Time	
	☽ □ ♄	8 56	B
27 M	☽ ✱ ♂	5am16	G
	☽ ✱ ♃	5 31	G
	☉ P ♄	8 25	
	☽ ✱ ♅	8 54	G
	♂ △ ♃	9 6	
	☽ ✱ ♆	0pm40	G
	☽ ∠ ♀	1 45	b
	♀ ⊥ ♄	5 30	
	☽ P ♆	6 6	D
	☽ ☌ ♇	11 13	D
28 Tu	☽ P ♀	1am11	G
	☽ P ☿	1 29	G
	☉ ± ♃	1 37	
	☿ P ♀	4 7	
	☽ P ♅	7 17	B
	☽ ✱ ☿	8 32	G
	☽ ∠ ♂	11 55	b
	☽ P ♂	1pm 4	B
	☽ ∠ ♅	1 55	b
	☽ ∠ ♆	5 44	b
	☿ ⚼ ♃	8 3	
	☽ ⊻ ♀	10 1	g
29 W	☽ ✱ ☉	6am12	G
	☽ ✱ ♄	7 21	G
	☽ □ ♃	3pm26	B
	☽ ∠ ☿	6 36	b
	☽ ⊻ ♂	7 29	g
	☽ ⊻ ♅	7 42	g
	☉ ☌ ♄	9 33	
	♂ ☌ ♅	10 58	
	☽ ⊻ ♆	11 33	g
30 Th	☽ ⊻ ♇	10am31	g
	☽ ∠ ♄	1pm39	b
	☽ ∠ ☉	2 58	b
	☿ P ♆	9 47	
31 F	☽ ⊻ ☿	5am33	g
	♀ ∠ ♇	3pm27	
	☽ ∠ ♇	4 54	b
	☽ ● ♀	5 4	G
	☽ P ♂	7 59	B
	☽ ⊻ ♄	8 20	g
	☽ P ♅	10 54	B

FEBRUARY

Date	Aspect	Time	
1 S	☽ ⊻ ☉	0am13	g
	☽ △ ♃	3 32	G
	☽ P ♀	5 14	G
	☽ ● ♅	8 38	B
	☽ ☌ ♂	0pm18	B
	☽ ● ♆	0 27	D
	☽ P ♆	0 42	D
	♂ ☌ ♆	2 57	
	☽ P ☿	6 13	G
	☿ Q ♇	7 44	
	☽ ✱ ♇	11 29	G
2 Su	♀ ⊻ ♄	3am27	
	☽ ⚼ ♃	9 50	b
	☉ ⊼ ♃	11 31	
	☽ P ♄	1pm50	B
3 M	☽ P ☉	0am40	G
	☿ ± ♃	0 58	
	☽ ☌ ☿	4 30	G

Date	Aspect	Time	
	☽ ☌ ♄	10 1	B
	☽ ⊻ ♀	1pm13	g
	♂ P ♅	3 15	
	☽ ☌ ☉	7 0	D
	☽ ⊻ ♅	9 55	g
4 Tu	☽ ⊻ ♆	1am37	g
	☽ ⊻ ♂	5 26	g
	☽ □ ♇	0pm26	B
	♀ △ ♃	2 40	
	☿ ☌ ♄	9 53	
	☽ ∠ ♀	11 0	b
5 W	☽ P ♃	1am12	G
	☽ ∠ ♅	4 17	b
	☉ ⊻ ♅	6 58	
	☽ ∠ ♆	7 54	b
	☽ ∠ ♂	1pm37	b
	☽ P ♇	8 25	D
	☽ ⊻ ♄	10 59	g
6 Th	☽ ⊻ ☿	2am48	g
	☽ ☍ ♃	3 47	B
	☽ ✱ ♀	8 21	G
	☿ ⊼ ♃	9 26	
	☽ ✱ ♅	10 19	G
	☽ ⊻ ☉	0pm41	g
	☽ ✱ ♆	1 50	G
	☽ ✱ ♂	9 22	G
7 F	☽ △ ♇	0am16	G
	☉ ⊻ ♆	2 56	
	♀ ☌ ♅	4 29	
	☽ ∠ ♄	4 55	b
	☽ P ♇	11 38	D
	☽ ∠ ☿	1pm11	b
	☽ ∠ ☉	8 44	b
8 S	☿ P ♄	0am26	
	☽ ⚼ ♇	5 32	b
	☽ P ♃	7 6	G
	☿ ⊻ ♅	9 11	
	☽ ✱ ♄	10 21	G
	♀ ☌ ♆	3pm45	
	♂ ✱ ♇	8 33	
	☽ □ ♅	8 59	B
	☽ ✱ ☿	10 49	G
9 Su	☽ □ ♆	0am17	B
	☽ □ ♀	1 11	B
	☽ ✱ ☉	4 7	G
	☿ ⊻ ♆	9 36	
	☽ □ ♂	11 5	B
	☽ P ☉	4pm43	G
	☽ ⚼ ♃	6 9	b
10 M	☽ P ☿	5am51	G
	☽ P ♄	0pm42	B
	☽ □ ♄	7 19	B
	☽ △ ♃	9 43	G
11 Tu	♀ P ♆	0am11	
	☿ ⊻ ♀	2 16	
	☽ △ ♅	5 8	G
	☽ △ ♆	8 11	G
	☽ P ♀	0pm 8	G
	☽ P ♆	0 41	D
	☉ ⊥ ♅	0 51	
	☽ △ ♀	2 35	G
	☽ □ ☿	3 9	B
	☽ □ ☉	4 15	B

Day	Aspect	Time	
	☽ P ♂	4 29	B
	☽ ☍ ♇	5 31	B
	☽ △ ♂	9 37	G
	☿ ⊥ ♅	9 42	
12	☽ P ♅	0am45	B
W	☽ ⚼ ♅	8 4	b
	☉ ☌ ☿	8 43	
	☿ □ ♇	8 59	
	☉ □ ♇	9 12	
	☽ ⚼ ♆	10 59	b
	☽ ⚼ ♀	7pm44	b
	☿ ⊥ ♆	8 35	
	♀ ⚹ ♇	10 39	
13	☽ △ ♄	1am12	G
Th	☽ ⚼ ♂	1 28	b
	☽ □ ♃	2 33	B
	☉ ⊥ ♆	5 59	
	♂ ⚼ ♃	6pm35	
14	☽ △ ☉	0am25	G
F	☽ △ ☿	2 55	G
	☽ ⚼ ♄	2 55	b
	☿ ⊻ ♂	10pm14	
	☽ ⚼ ♇	10 36	b
15	♂ P ♆	1am11	
S	☽ ⚼ ☉	3 7	b
	☽ P ♅	3 22	B
	☽ ⚹ ♃	4 22	G
	☽ ⚼ ☿	7 11	b
	☉ ⊻ ♀	11 40	
	☽ ☍ ♅	0pm10	B
	☽ P ♆	2 15	D
	☽ ☍ ♆	2 46	B
	☽ P ♂	2 50	B
	♀ ⚼ ♃	6 15	
	☽ P ♀	7 33	G
	☽ △ ♇	10 57	G
16	☽ ∠ ♃	4am24	b
Su	☽ ☍ ♀	5 23	B
	☽ ☍ ♂	7 59	B
	♃ ∇ ♄	8 43	
	☽ P ♄	0pm 8	B
17	☿ ∠ ♅	0am23	
M	☽ ⊻ ♃	4 3	g
	☽ ☍ ♄	4 22	B
	☽ P ☿	3pm17	G
	☽ P ☉	3 54	G
	☿ ∠ ♆	9 17	
	☽ □ ♇	10 36	B
	☉ P ☿	11 45	
18	☽ P ♃	6am 1	G
Tu	☽ ☍ ☉	8 4	B
	☽ ⚼ ♅	11 59	b
	☽ ⚼ ♆	2pm28	b
	☽ ☍ ☿	4 49	B
19	☽ P ♇	0am 7	D
W	☽ ☌ ♃	3 13	G
	♃ Q ♇	6 20	
	☽ ⚼ ♀	11 14	b
	☽ ⚼ ♂	11 16	b
	☽ △ ♅	0pm 1	G
	♀ ☌ ♂	0 22	
	☽ △ ♆	2 30	G
	☽ ⚹ ♇	10 32	G
20	☽ ⚼ ♄	4am45	b
Th	☽ P ♇	7 44	D
	☿ ⊥ ♂	11 34	
	☽ △ ♂	1pm 2	G
	☽ △ ♀	1 55	G
	☉ ∠ ♅	9 39	
	☽ ∠ ♇	11 16	b
21	☽ P ♃	3am23	G
F	☽ ⊻ ♃	3 54	g
	☿ ⊥ ♀	4 40	

Day	Aspect	Time	
	☽ △ ♄	5 52	G
	☽ P ☿	6 4	G
	☽ P ☉	11 48	G
	☽ □ ♅	1pm48	B
	☽ ⚼ ☉	2 59	b
	☽ □ ♆	4 22	B
	☿ P ♃	11 9	
22	☿ ☍ ♃	0am 6	
S	☽ ⊻ ♇	0 50	g
	☽ ∠ ♃	5 23	b
	☽ ⚼ ☿	6 17	b
	♀ ± ♃	9 11	
	☉ ∠ ♆	10 46	
	♀ Q ♇	5pm 5	
	☿ ⊻ ♄	6 46	
	☽ △ ☉	7 16	G
	☽ □ ♂	7 28	B
	☽ □ ♀	10 30	B
	☽ P ♄	11 55	B
23	☉ ⊻ ♂	6am 1	
Su	☽ ⚹ ♃	7 53	G
	☽ P ♀	8 13	G
	☽ □ ♄	11 0	B
	☽ △ ☿	1pm32	G
	☽ P ♂	3 37	B
	☽ ⚹ ♅	7 18	G
	♂ ± ♃	9 3	
	☽ ⚹ ♆	10 1	G
24	☽ P ♆	2am13	D
M	☽ ☌ ♇	7 4	D
	☽ P ♅	2pm50	B
	♂ Q ♇	3 51	
	♇ Stat.	9 31	
	☽ ∠ ♅	11 41	b
25	☽ ∠ ♆	2am28	b
Tu	☿ ⚹ ♅	6 44	
	☽ ⚹ ♂	6 54	G
	☽ □ ☉	7 56	B
	☽ ⚹ ♀	0pm43	G
	☽ □ ♃	4 1	B
	☽ ⚹ ♄	8 29	G
26	☉ P ♃	0am58	
W	☿ ⚹ ♆	1 44	
	☽ ⊻ ♅	5 3	g
	☿ ⊥ ♄	5 17	
	☽ ⊻ ♆	7 53	g
	☽ □ ☿	8 59	B
	☽ ∠ ♂	2pm24	b
	☽ ⊻ ♇	5 24	g
	♀ ∇ ♃	6 44	
	☽ ∠ ♀	9 46	b
27	☽ ∠ ♄	2am36	b
Th	☿ P ♇	3pm 7	
	☽ ⊻ ♂	10 41	g
	☽ ∠ ♇	11 39	b
28	☽ ⚹ ☉	1am10	G
F	☽ △ ♃	3 23	G
	☽ P ♅	5 28	B
	☽ ⊻ ♀	7 37	g
	☽ ⊻ ♄	9 16	g
	♀ P ♄	2pm14	
	☿ △ ♇	5 5	
	☽ ☌ ♅	5 46	B
	☽ P ♆	7 1	D
	☿ ∠ ♂	7 54	
	☽ ☌ ♆	8 36	D
29	☉ ☍ ♃	0am37	
S	♀ ☌ ♄	0 48	
	☽ ⚹ ♇	6 11	G
	☽ ⚹ ☿	8 30	G
	☽ ⚼ ♃	9 37	b
	☽ ∠ ☉	10 34	b
	☽ P ♂	3pm 1	B

MARCH

Day	Aspect	Time	
1	☽ P ♄	1am27	B
Su	☽ P ♀	4 28	G
	♂ ∇ ♃	1pm 6	
	☽ ☌ ♂	4 3	B
	☽ ⊻ ☉	7 56	g
	☽ ∠ ☿	8 15	b
	☽ ☌ ♄	10 55	B
2	☽ ☌ ♀	3am48	G
M	☽ ⊻ ♅	7 0	g
	☽ ⊻ ♆	9 43	g
	☿ ∠ ♄	4pm30	
	☽ □ ♇	7 3	B
3	☽ P ♃	0am51	G
Tu	☿ Q ♅	6 32	
	☽ ⊻ ☿	7 17	g
	☉ ⊻ ♄	11 12	
	♀ ⊻ ♅	11 24	
	☽ ∠ ♅	1pm11	b
	☽ P ☉	2 58	G
	☽ ∠ ♆	3 50	b
4	☿ Q ♆	3am13	
W	☽ ☍ ♃	3 20	B
	☽ P ♇	3 41	D
	☽ ⊻ ♂	8 16	g
	☽ ⊻ ♄	11 26	g
	☽ ☌ ☉	1pm22	D
	♀ ⊻ ♆	1 49	
	☽ P ☿	4 52	G
	☽ ⚹ ♅	6 55	G
	☽ ⚹ ♆	9 30	G
	☽ ⊻ ♀	10 21	g
5	☽ P ☿	6am13	G
Th	☽ △ ♇	6 24	G
	☽ ∠ ♂	3pm33	b
	☽ ∠ ♄	4 58	b
	☽ P ♇	5 7	D
6	☽ P ☉	1am 6	G
F	☽ ☌ ☿	2 21	G
	☽ ∠ ♀	6 38	b
	☽ ⚼ ♇	11 21	b
	♂ ☌ ♄	5pm52	
	☽ P ♃	8 6	G
	☽ ⚹ ♄	10 0	G
	☽ ⚹ ♂	10 14	G
7	☽ ⊻ ☉	4am22	g
S	☽ □ ♅	4 55	B
	☽ □ ♆	7 21	B
	☉ ⚹ ♅	11 36	
	☽ ⚹ ♀	2pm15	G
	☽ ⚼ ♃	5 14	b
	☽ P ♀	11 22	G
8	♀ □ ♇	6am10	
Su	☿ P ♇	9 16	
	☽ ∠ ☉	10 55	b
	♀ ⊥ ♅	11 40	
	☽ P ♄	2pm19	B
	☽ P ♂	2 35	B
	☽ ⊻ ☿	5 13	g
	☉ ⚹ ♆	6 56	
	♂ P ♄	8 0	
	☽ △ ♃	8 55	G
9	☉ P ☿	3am40	
M	☽ □ ♄	6 33	B
	☽ □ ♂	9 50	B
	♀ ⊥ ♆	0pm40	
	☽ △ ♅	0 55	G
	☽ △ ♆	3 12	G
	☽ ⚹ ☉	4 50	G
	☽ P ♆	7 21	D
	☽ ∠ ☿	11 6	b
	☽ ☍ ♇	11 14	B

Day	Aspect	Time	
10	☿ ⚼ ♇	0am58	
Tu	☽ □ ♀	3 29	B
	☉ ⊥ ♄	4 14	
	☽ P ♅	7 35	B
	☉ P ♇	11 10	
	☿ ∇ ♃	11 59	
	☽ ⚼ ♅	4pm 8	b
	☽ ⚼ ♆	6 21	b
11	☽ □ ♃	2am47	B
W	☽ ⚹ ☿	3 57	G
	☽ △ ♄	0pm57	G
	♂ ⊻ ♅	4 31	
	☽ △ ♂	6 55	G
12	☽ □ ☉	2am36	B
Th	☽ △ ♀	1pm48	G
	☽ ⚼ ♄	3 17	b
	☽ ⚼ ♂	10 26	b
13	☉ △ ♇	4am47	
F	☽ ⚼ ♇	6 17	b
	☽ ⚹ ♃	6 28	G
	♂ ⊻ ♆	7 30	
	☽ P ♅	10 33	B
	☽ □ ☿	10 35	B
	☽ ⚼ ♀	5pm49	b
	☽ P ♆	9 53	D
	☽ ☍ ♅	10 21	B
14	☽ ☍ ♆	0am21	B
S	☽ ∠ ♃	7 29	b
	☽ △ ♇	7 30	G
	☽ △ ☉	9 30	G
15	☽ P ♄	0 56	B
Su	☽ P ♂	7 47	B
	☽ ⊻ ♃	8 3	g
	☽ ⚼ ☉	0pm 1	b
	☽ △ ☿	1 40	G
	☽ ☍ ♄	6 59	B
	♀ ∠ ♅	11 26	
16	☽ P ♀	3am50	G
M	☽ ☍ ♂	5 21	B
	☽ □ ♇	8 38	B
	☽ P ♃	10 34	G
	☽ ⚼ ☿	2pm14	b
	☽ P ☿	9 12	G
	♀ ∠ ♆	10 33	
17	☽ ⚼ ♅	0am13	b
Tu	☿ Stat.	0 31	
	☽ ⚼ ♆	2 6	b
	☽ ☍ ♀	2 25	B
	☽ ☌ ♃	8 19	G
	☽ P ♇	11 36	D
	☽ P ☉	11pm 0	G
18	☽ △ ♅	0am32	G
W	☽ △ ♆	2 24	G
	☿ ⊥ ♀	5 17	
	☽ P ☉	6 2	G
	♀ ⊥ ♅	9 9	G
	☽ P ♇	5pm56	D
	☽ ☍ ☉	6 18	B
	♂ □ ♇	7 10	
	☽ ⚼ ♄	8 28	b
19	☽ ⊻ ♃	8am52	g
Th	☽ P ☿	8 58	G
	☽ ∠ ♇	9 46	b
	☽ ⚼ ♂	10 36	b
	♀ P ♃	0pm23	
	☽ ☍ ☿	2 51	B
	♂ ⊥ ♅	6 22	
	☽ P ♀	7 42	G
	♀ ☍ ♃	7 57	
	☽ P ♃	8 21	G
	☽ △ ♄	9 29	G
	☉ Q ♅	10 6	
20	☽ □ ♅	2am 5	B

Day	Aspect	Time	
F	☽ □ ♆	3 59	B
	☉ ∠ ♄	5 24	
	☽ ∠ ♃	9 50	b
	☉ ⊥ ♂	10 49	
	☽ ⊻ ♇	10 56	g
	☽ ⚼ ♀	11 17	b
	☽ △ ♂	1pm18	G
	☽ P ♂	5 2	B
21	☉ Q ♆	1am50	
S	♂ ⊥ ♆	6 9	
	☽ P ♄	6 20	B
	☽ ⚹ ♃	11 34	G
	☿ ∠ ♂	2pm 4	
	☽ △ ♀	3 53	G
	☿ ⊻ ♀	9 56	
22	☽ □ ♄	1am50	B
Su	☽ ⚼ ☉	5 3	b
	☽ ⚹ ♅	6 29	G
	☽ ⚹ ♆	8 29	G
	☽ P ♆	0pm38	D
	☽ ☌ ♇	3 49	D
	☽ ⚼ ☿	6 32	b
	☽ □ ♂	9 46	B
23	☽ P ♅	1am11	B
M	☽ ∠ ♅	10 10	b
	☽ △ ☉	10 57	G
	☽ ∠ ♆	0pm14	b
	☽ □ ♃	5 57	B
	☽ △ ☿	9 8	G
24	☽ □ ♀	5am 6	B
Tu	☽ ⚹ ♄	10 12	G
	☽ ⊻ ♅	2pm54	g
	☽ ⊻ ♆	5 1	g
	☿ ⚼ ♇	7 24	
25	☽ ⊻ ♇	0am45	g
W	☽ ⚹ ♂	11 6	G
	☽ ∠ ♄	3pm52	b
26	☽ □ ☉	2am30	B
Th	☽ △ ♃	4 10	G
	☽ □ ☿	4 17	B
	☿ [illegible] ♃	6 12	
	☽ ∠ ♇	6 32	b
	☽ P ♅	11 0	B
	☿ ⊻ ♄	0pm11	
	☉ ☌ ☿	2 55	
	☽ ∠ ♂	7 15	b
	☉ [illegible] ♃	8 59	
	☽ ⊻ ♄	10 14	g
	☽ ⚹ ♀	11 19	G
27	☽ P ♆	0am45	D
F	☽ ☌ ♅	2 48	B
	☽ ☌ ♆	4 57	D
	☽ ⚼ ♃	10 14	b
	☿ ⊥ ♂	10 29	
	☽ ⚹ ♇	0pm50	G
28	☉ ⚼ ♇	2am24	
S	☽ ⊻ ♂	3 51	g
	♀ ⚹ ♅	9 14	
	☽ ∠ ♀	9 22	b
	☽ P ♄	0pm18	B
	☽ ⚹ ☿	0 59	G
	☽ ⚹ ☉	8 53	G
29	♀ ⚹ ♆	5am51	
Su	☽ ☌ ♄	11 39	B
	☽ ⊻ ♅	3pm51	g
	☿ P ♇	3 53	
	☽ P ♂	4 13	B
	☽ ∠ ☿	5 23	b
	☽ ⊻ ♆	5 57	g
	☉ P ☿	6 4	
	☽ ⊻ ♀	7 21	g
	☉ P ♇	8 57	
30	☽ P ♃	1am15	G

Day	Aspect	Time	
M	☽ □ ♇	1 37	B
	☽ ∠ ☉	5 57	b
	☽ ☌ ♂	8pm40	B
	☽ ⊻ ☿	9 35	g
	☽ ∠ ♅	9 59	b
31	☽ ∠ ♆	0am 2	b
Tu	☿ ☍ ♂	4 11	
	☽ ☍ ♃	4 24	B
	☽ **P** ♀	6 36	G
	☽ **P** ☉	8 47	G
	☽ **P** ♇	11 40	D
	☽ ⊻ ☉	2pm26	g
	☽ **P** ☿	4 47	G
	♂ ∠ ♅	5 32	
	♀ ⊥ ♄	5 42	
	☉ **P** ♀	8 2	
	☽ ⊻ ♄	11 50	g

APRIL

Day	Aspect	Time	
1	☽ ⚹ ♅	3am34	G
W	☽ ⚹ ♆	5 33	G
	♀ △ ♇	7 5	
	☉ ± ♃	10 10	
	☽ △ ♇	0pm47	G
	☽ ☌ ♀	1 26	G
	☽ **P** ☿	3 41	G
	☽ **P** ♇	10 56	D
2	☽ **P** ♀	0am 2	G
Th	♂ ∠ ♆	1 42	
	☿ ∠ ♄	3 43	
	☽ ☌ ☿	4 57	G
	☽ ∠ ♄	5 1	b
	☽ **P** ☉	5 11	G
	☿ **Q** ♆	9 33	
	☽ ⊻ ♂	11 1	g
	♀ **P** ♇	11 53	
	☽ ⚻ ♇	5pm27	b
3	☽ ☌ ☉	5am 1	D
F	☽ **P** ♃	8 33	G
	☽ ⚹ ♄	9 34	G
	☽ **P** ♂	9 40	B
	☽ □ ♅	0pm50	B
	☽ □ ♆	2 43	B
	☽ ∠ ♂	5 3	b
	☽ ⚻ ♃	6 11	b
4	♂ **P** ♃	2am55	
S	☽ ⊻ ♀	4 11	g
	☿ **Q** ♅	5 52	
	♂ ☍ ♃	10 9	
	☽ ⊻ ☿	10 55	g
	☽ **P** ♄	5pm 0	B
	☽ △ ♃	9 39	G
	☽ ⚹ ♂	10 27	G
5	☽ ∠ ♀	10am28	b
Su	☽ ∠ ☿	1pm29	b
	☽ ⊻ ☉	4 42	g
	☽ □ ♄	4 59	B
	☽ △ ♅	7 53	G
	☉ ⚹ ♄	8 51	
	☽ △ ♆	9 40	G
6	☉ ± ♇	1am 8	
M	☽ **P** ♆	2 6	D
	☽ ☍ ♇	4 7	B
	☿ ☌ ♀	1pm12	
	☽ **P** ♅	2 37	B
	☽ ⚹ ☿	3 51	G
	☽ ⚹ ♀	4 10	G
	☽ ∠ ☉	9 42	b
	☽ ⚻ ♅	10 45	b
7	☽ ⚻ ♆	0am30	b
Tu	☽ □ ♃	3 18	B
	☽ **Q** ♅	5 48	
	☽ □ ♂	7 38	B

Day	Aspect	Time	
	☉ □ ♅	0pm 9	
	☽ △ ♄	10 41	G
8	♀ **Q** ♆	1am 4	
W	☽ ⚹ ☉	2 15	G
	☉ □ ♆	0pm20	
	♀ ∠ ♄	0 52	
	☽ □ ☿	8 7	B
	☿ **P** ♀	9 15	
9	☽ ⚻ ♄	1am 1	b
Th	☽ □ ♀	2 7	B
	☿ **Stat.**	6 27	
	☽ ⚹ ♃	7 33	G
	☽ ⚻ ♇	11 9	b
	☽ **P** ♅	2pm 8	B
	☽ △ ♂	3 7	G
	☉ ⚻ ♃	10 4	
10	☽ **P** ♆	2am 8	D
F	☽ ☍ ♅	5 15	B
	☽ ☍ ♆	6 55	B
	☽ ∠ ♃	9 13	b
	☽ □ ☉	10 6	B
	☽ △ ♇	0pm50	G
	☽ ⚻ ♂	6 18	b
	☽ △ ☿	11 51	G
11	☽ **P** ♄	9am50	B
S	☽ △ ♀	10 23	G
	☽ ⊻ ♃	10 35	g
	♀ ▽ ♃	0pm30	
	☉ **P** ♂	1 53	
12	☉ ▽ ♇	0am30	
Su	☽ ⚻ ☿	1 31	b
	☽ ☍ ♄	6 4	B
	☽ **P** ♃	1pm31	G
	☿ **P** ♀	1 57	
	☽ ⚻ ♀	1 58	b
	☽ □ ♇	3 22	B
	☽ △ ☉	4 29	G
	☽ **P** ☉	9 41	G
13	☽ **P** ♂	1am39	B
M	♀ ⚻ ♇	5 59	
	☽ ⚻ ♅	9 7	b
	☽ ⚻ ♆	10 43	b
	☽ ☌ ♃	0pm38	G
	☽ ⚻ ☉	7 19	b
	☽ **P** ♇	8 31	D
14	☽ ☍ ♂	2am 6	B
Tu	☽ **P** ♀	3 14	G
	☽ **P** ☿	6 1	G
	☽ △ ♅	10 7	G
	☽ △ ♆	11 43	G
	☽ **P** ☿	4pm24	G
	☿ **Q** ♅	5 16	
	☽ ⚹ ♇	5 18	G
	☽ **P** ♀	8 38	G
15	☽ **P** ♇	1am53	D
W	☽ ☍ ☿	6 36	B
	☽ ⚻ ♄	9 32	b
	☽ ⊻ ♃	2pm32	g
	☽ **P** ♂	5 36	B
	☽ ∠ ♇	6 23	b
16	☽ ☍ ♀	0am13	B
Th	♀ ± ♃	4 39	
	☽ **P** ☉	6 25	G
	☽ **P** ♃	9 38	G
	☽ △ ♄	10 58	G
	☽ □ ♅	0pm33	B
	☿ **Q** ♆	2 7	
	☽ □ ♆	2 10	B
	☽ ∠ ♃	3 51	b
	☽ ⊻ ♇	7 48	g
17	☽ ☍ ☉	4am42	B
F	☽ ⚻ ♂	10 29	b
	♀ **P** ♇	10 44	

Day	Aspect	Time	
	☽ **P** ♄	1pm14	B
	☽ ⚹ ♃	5 41	G
18	☉ **P** ♃	8am 9	
S	☿ ∠ ♄	1pm 1	
	☽ △ ♂	2 30	G
	☽ □ ♄	3 28	B
	☽ ⚻ ☿	3 36	b
	☽ ⚹ ♅	4 54	G
	☽ ⚹ ♆	6 36	G
	☽ **P** ♆	11 16	D
19	☽ ☌ ♇	0am26	D
Su	☉ **Q** ♄	1 17	
	♂ ⊻ ♄	8 50	
	☽ **P** ♅	0pm17	B
	☽ ⚻ ♀	3 1	b
	☽ ∠ ♅	8 14	b
	☽ △ ☿	8 33	G
	☽ ∠ ♆	9 59	b
	☽ □ ♃	11 34	B
20	♂ ⚹ ♅	8am17	
M	♀ ± ♇	9 53	
	♆ **Stat.**	0pm 9	
	☽ ⚻ ☉	8 38	b
	☽ △ ♀	10 7	G
	☽ ⚹ ♄	11 13	G
21	☽ ⊻ ♅	0am28	g
Tu	☽ □ ♂	1 32	B
	☽ ⊻ ♆	2 17	g
	☽ ⊻ ♇	8 23	g
	♀ ⚹ ♄	9 44	
	♂ ⚹ ♆	1pm33	
	♀ **P** ♂	2 31	
	☿ ▽ ♃	5 43	
	♀ □ ♅	10 6	
	♅ **Stat.**	11 19	
22	☽ △ ☉	4am 9	G
W	☽ ∠ ♄	4 26	b
	☽ △ ♃	9 0	G
	☽ □ ☿	10 16	B
	☽ ∠ ♇	1pm40	b
	☽ **P** ♅	4 23	B
	♀ □ ♆	4 25	
23	☽ **P** ♆	6 39	D
Th	♀ ⚻ ♃	7 17	
	☽ ⊻ ♄	10 24	g
	☽ ☌ ♅	11 27	B
	☽ ☌ ♆	1pm20	D
	☽ ⚻ ♃	2 51	b
	☽ □ ♀	3 45	B
	☽ ⚹ ♂	4 39	G
	☽ ⚹ ♇	7 36	G
24	☿ ⚻ ♇	3am57	
F	♀ ⊻ ♂	1pm39	
	☉ △ ♃	3 26	
	☽ □ ☉	9 40	B
	☽ **P** ♄	10 3	B
25	☽ ∠ ♂	1am 7	b
S	☽ ⚹ ☿	4 4	G
	♀ ▽ ♇	4 24	
	♂ △ ♇	0pm54	
	☽ **P** ☉	3 47	G
	☽ ☌ ♄	11 24	B
26	☽ ⊻ ♅	0am10	g
Su	☽ ⊻ ♆	2 4	g
	☽ **P** ♃	5 22	G
	☽ □ ♇	8 14	B
	☽ ⊻ ♂	9 38	g
	☽ ⚹ ♀	11 31	G
	☽ ∠ ☿	1pm30	b
	☽ **P** ♀	9 2	G
27	☽ ∠ ♅	6am20	b
M	☽ ∠ ♆	8 13	b
	☽ ☍ ♃	9 37	B

Day	Aspect	Time	
	☿ ± ♃	11 25	
	☽ ⚹ ☉	3pm31	G
	♂ ⊥ ♄	5 41	
	☽ **P** ♂	6 59	B
	☽ **P** ♇	8 3	D
	☽ ∠ ♀	8 56	b
	☽ ⊻ ☿	10 37	g
28	☽ **P** ☿	3am44	G
Tu	☽ ⊻ ♄	11 31	g
	☽ ⚹ ♅	0pm 0	G
	♂ **P** ♇	0 34	
	☽ ⚹ ♆	1 50	G
	☽ △ ♇	7 40	G
	☽ ∠ ☉	11 30	b
	☽ **P** ☿	11 43	G
29	☽ ☌ ♂	1am 5	B
W	☽ **P** ♂	4 31	B
	☽ **P** ♇	5 28	D
	☽ ⊻ ♀	5 29	g
	☽ ∠ ♄	4pm36	b
30	☽ ⚻ ♇	0am22	b
Th	☽ ⊻ ☉	6 31	g
	☿ **P** ♂	9 6	
	☽ **P** ♀	11 45	G
	☽ ☌ ☿	2pm34	G
	☽ **P** ♃	6 11	G
	♃ **Stat.**	7 37	
	☽ ⚹ ♄	8 54	G
	☽ □ ♅	9 6	B
	☽ □ ♆	10 52	B

MAY

Day	Aspect	Time	
1	☽ ⚻ ♃	0am10	b
F	☿ **P** ♇	11 39	
	☽ ⊻ ♂	1pm 4	g
	♀ **Q** ♄	1 42	
	☿ ± ♇	4 13	
	☽ **P** ☉	4 58	G
	☽ ☌ ♀	7 31	G
	☽ **P** ♄	10 12	B
2	☽ △ ♃	3am32	G
S	☽ ☌ ☉	5pm44	D
	☽ ∠ ♂	5 46	b
	☉ ∠ ♂	7 12	
3	☽ ⊻ ☿	3am 4	g
Su	☽ □ ♄	3 20	B
	☽ △ ♅	3 20	G
	♄ ⊻ ♅	3 21	
	☽ △ ♆	5 1	G
	☿ □ ♅	5 37	
	☿ ⚹ ♄	5 42	
	♀ **P** ♃	7 49	
	☽ **P** ♆	9 56	D
	☽ ☍ ♇	10 7	B
	☽ ⚹ ♂	9pm48	G
	☿ □ ♆	9 56	
	☽ **P** ♅	10 51	B
4	☽ ⚻ ♅	5am37	b
M	☽ ⊻ ♀	6 2	g
	☽ ⚻ ♆	7 16	b
	☽ ∠ ☿	8 20	b
	☽ □ ♃	8 34	B
	☿ ⚻ ♃	10 35	
	☉ **P** ♄	5pm15	
5	☽ ⊻ ☉	2am11	g
Tu	☽ △ ♄	7 42	G
	☽ ∠ ♀	10 27	b
	♀ △ ♃	10 40	
	☽ ⚹ ☿	1pm11	G
	♂ **Q** ♅	7 36	
	☿ ▽ ♇	9 16	
6	☽ □ ♂	4am32	B
W	☽ ∠ ☉	5 47	b

Day	Aspect	Time	
	☽ ⚻ ♄	9 26	b
	☽ ⚹ ♃	0pm 8	G
	☽ ⚹ ♀	2 33	G
	☽ ⚻ ♇	3 37	b
	☽ **P** ♅	5 20	B
7	♂ **Q** ♆	1am15	
Th	☽ **P** ♆	5 52	D
	☽ ⚹ ☉	9 11	G
	☽ ☍ ♅	10 38	B
	☽ ☍ ♆	0pm16	B
	☽ ∠ ♃	1 40	b
	♀ ⊥ ♂	1 43	
	☽ △ ♇	5 2	G
	☽ □ ☿	10 21	B
8	☉ △ ♅	6am11	
F	☽ **P** ☉	10 9	G
	☽ △ ♂	10 24	G
	☉ □ ♄	0pm31	
	☽ ⊻ ♃	3 7	g
	☽ **P** ♄	4 4	B
	☽ □ ☿	10 16	B
9	☽ **P** ☿	5am31	G
S	☉ △ ♆	5 57	
	☽ ⚻ ♂	1pm15	b
	☽ ☍ ♄	1 56	B
	☽ □ ☉	3 44	B
	☽ **P** ♃	5 51	G
	☽ □ ♇	7 45	B
10	♂ ∠ ♄	2am 8	
Su	☽ **P** ☿	4 47	G
	☽ △ ☿	7 33	G
	☽ ⚻ ♅	2pm48	b
	☽ ⚻ ♆	4 28	b
	☽ ☌ ♃	6 3	G
11	☽ **P** ♇	2am47	D
M	☽ △ ♀	5 59	G
	☿ **Q** ♄	7 45	
	☽ ⚻ ☿	0pm24	b
	☽ **P** ♂	2 53	B
	☽ △ ♅	4 18	G
	☽ △ ♆	5 58	G
	☽ **P** ♂	7 24	B
	☽ △ ☉	10 27	G
	☽ ⚹ ♇	10 39	G
12	☉ ☍ ♇	1am14	
Tu	♂ ▽ ♃	5 1	
	☽ **P** ♇	7 18	D
	☽ ⚻ ♀	10 4	b
	☽ ⚻ ♄	6pm44	b
	☽ ⊻ ♃	9 26	g
	☽ ☍ ♂	10 20	B
13	☽ ∠ ♇	0am21	b
W	☽ ⚻ ☉	2 7	b
	☽ **P** ☿	4pm25	G
	☽ **P** ♃	4 37	G
	☿ **P** ♃	5 58	
	☽ □ ♅	7 53	B
	☽ △ ♄	8 45	G
	☽ □ ♆	9 37	B
	☽ ∠ ♃	11 31	b
14	☿ △ ♃	1am23	
Th	☽ ⊻ ♇	2 20	g
	♂ ⚻ ♇	9 41	
	☽ **P** ♀	5pm21	G
	☽ **P** ♄	7 31	B
15	☽ ⚹ ♃	2am 0	G
F	☽ ☍ ☿	5 38	B
	☿ ⊻ ♂	9 21	
	☽ **P** ☉	1pm32	G
	♀ **P** ♄	5 24	
16	☽ ☍ ♀	0am51	B
S	☽ ⚹ ♅	1 1	G
	☽ □ ♄	2 5	B

	♀ △ ♅	2	35	
	☽ ✶ ♆	2	50	G
	☽ ☌ ♇	7	41	D
	☽ **P** ♆	8	18	D
	☽ ⚼ ♂	10	37	b
	♀ □ ♄	2*pm*	11	
	☽ ☍ ☉	4	3	B
	♀ △ ♆	10	1	
	☽ **P** ♅	10	11	B
17	☽ ∠ ♅	4*am*	28	b
Su	☽ ∠ ♆	6	20	b
	☽ □ ♃	8	43	B
	☽ △ ♂	4*pm*	6	G
18	☽ ⊻ ♅	8*am*	36	g
M	☽ ✶ ♄	9	53	G
	☽ ⊻ ♆	10	33	g
	☽ ⊻ ♇	3*pm*	35	g
19	♀ ☍ ♇	0*am*	53	
Tu	☽ ⚼ ☿	7	18	b
	☽ ∠ ♄	2*pm*	53	b
	☽ △ ♃	6	18	G
	☽ ∠ ♇	8	37	b
	☽ **P** ♅	10	7	B
	☽ ⚼ ♀	10	53	b
20	☽ □ ♂	5*am*	40	B
W	☽ **P** ♆	1*pm*	5	D
	☽ ⚼ ☉	1	13	b
	♂ ± ♃	2	27	
	☿ ⊥ ♂	5	45	
	☽ △ ☿	6	26	G
	☽ ☌ ♅	7	1	B
	☽ ⊻ ♄	8	32	g
	☽ ☌ ♆	9	5	D
	☿ △ ♅	10	0	
21	☽ ⚼ ♃	0*am*	9	b
Th	☽ **P** ☉	0	12	G
	♂ **P** ♇	0	28	
	☽ ✶ ♇	2	17	G
	☿ **P** ♄	4	8	
	☿ □ ♄	7	19	
	☽ △ ♀	8	4	G
	☿ △ ♆	10	28	
	☽ **P** ♀	3*pm*	48	G
	☽ △ ☉	9	53	G
22	☽ **P** ☿	2*am*	4	G
F	☽ **P** ♄	6	17	B
	☿ ☍ ♇	5*pm*	6	
	☽ ✶ ♂	9	58	G
23	☽ ⊻ ♅	7*am*	23	g
S	☽ ☌ ♄	9	6	B
	☽ ⊻ ♆	9	31	g
	☉ ⚼ ♅	0*pm*	30	
	☽ **P** ♃	2	21	G
	☽ □ ♇	2	44	B
	☽ □ ☿	7	19	B
24	☽ □ ♀	3*am*	43	B
Su	☽ ∠ ♂	6	24	b
	☽ ∠ ♅	1*pm*	38	b
	☉ ⚼ ♆	2	29	
	☽ ∠ ♆	3	47	b
	☽ □ ☉	3	53	B
	☽ ☍ ♃	7	28	B
	☽ **P** ♂	10	27	B
25	☽ **P** ♇	4*am*	19	D
M	☽ ⊻ ♂	2*pm*	28	g
	☽ ✶ ♅	7	31	G
	♂ ± ♇	8	12	
	☽ ⊻ ♄	9	21	g
	☽ ✶ ♆	9	38	G
26	☽ △ ♇	2*am*	40	G
Tu	☽ **P** ♇	0*am*	41	D
	☿ **P** ♀	1	45	
	☉ □ ♃	3	44	

	♀ ∠ ♂	7	5	
	☽ ✶ ☿	7	35	G
	☽ **P** ♂	9	11	B
	☽ ✶ ♀	9	55	G
27	☽ ∠ ♄	2*am*	36	b
W	☽ ⚼ ♇	7	43	b
	☽ ✶ ☉	7	57	G
	☿ ∠ ♂	2*pm*	8	
	☉ **P** ♆	3	2	
	☿ ☌ ♀	11	50	
28	☽ **P** ♃	0*am*	14	G
Th	☿ ⚼ ♅	1	7	
	♀ ⚼ ♅	2	4	
	☽ ☌ ♂	4	10	B
	☽ □ ♅	5	11	B
	☽ ∠ ♀	5	31	b
	☽ ∠ ☿	6	1	b
	☽ ✶ ♄	7	3	G
	☽ □ ♆	7	14	B
	☽ ⚼ ♃	11	17	b
	☿ ⚼ ♆	1*pm*	9	
	♄ **Stat.**	1	35	
	☽ ∠ ☉	2	30	b
	♂ □ ♅	8	54	
	♀ ⚼ ♆	11	11	
29	☽ **P** ♄	6*am*	18	B
F	☿ **P** ♆	8	23	
	☽ ⊻ ♀	11	56	g
	☿ □ ♃	2*pm*	10	
	☽ △ ♃	2	53	G
	☽ ⊻ ☿	3	1	g
	☽ ⊻ ☉	7	55	g
30	☉ **P** ☿	0*am*	25	
S	♂ ✶ ♄	5	8	
	♂ □ ♆	7	14	
	☽ △ ♅	11	27	G
	☽ □ ♄	1*pm*	19	B
	☽ △ ♆	1	25	G
	☽ ⊻ ♂	1	47	g
	☽ **P** ♀	2	17	G
	☽ ☍ ♇	5	49	B
	☽ **P** ♆	7	11	D
	♀ □ ♃	9	53	
	☽ **P** ☉	11	56	G
31	☽ **P** ☿	4*am*	51	G
Su	☽ **P** ♅	8	42	B
	☽ ⚼ ♅	1*pm*	26	b
	☽ ⚼ ♆	3	22	b
	☉ ☌ ☿	4	21	
	☽ ∠ ♂	5	14	b
	☽ □ ♃	7	41	B
	☿ **P** ♅	9	24	
	☽ ☌ ♀	9	37	G

JUNE

1	☿ ± ♅	2*am*	32	
M	☽ ☌ ☉	3	57	D
	☽ ☌ ☿	5	9	G
	☿ ± ♆	2*pm*	48	
	☉ ± ♅	3	21	
	☽ △ ♄	4	42	G
	☽ ✶ ♂	8	1	G
	♀ **P** ♆	11	24	
2	☽ **P** ☿	0*am*	52	G
Tu	♂ ⚻ ♇	1	5	
	☽ ⚼ ♄	5	43	b
	☉ ± ♆	7	19	
	♂ ⚼ ♃	8	59	
	☽ ⚼ ♇	9	53	b
	☽ ✶ ♃	10	19	G
	☽ **P** ♅	10	52	B
3	☽ **P** ☉	3*am*	18	G
W	☽ ⊻ ♀	4	32	g
	☽ **P** ♀	9	5	G
	☽ ⊻ ☉	9	36	g
	☽ **P** ♆	11	47	D
	☽ ⊻ ☿	4*pm*	9	g
	☽ ☍ ♅	4	37	B
	☽ ☍ ♆	6	32	B
	☿ ⚻ ♅	7	12	
	☽ △ ♇	10	38	G
	☽ ∠ ♃	11	17	b
4	☽ □ ♂	0*am*	31	B
Th	♀ ± ♅	5	46	
	☽ ∠ ♀	7	36	b
	☿ △ ♄	7	51	
	☿ ⚻ ♆	7	51	
	♄ ⊻ ♆	8	37	
	☽ ∠ ☉	0*pm*	7	b
	☽ ∠ ☿	9	18	b
	☽ **P** ♄	9	49	B
5	☽ ⊻ ♃	0*am*	14	g
F	♀ ± ♆	4	10	
	☽ ✶ ♀	10	43	G
	☿ ⚻ ♇	11	5	
	☽ ✶ ☉	2*pm*	42	G
	☽ ☍ ♄	8	8	B
6	☽ □ ♇	0*am*	14	B
S	☽ **P** ♃	2	23	G
	☽ ✶ ☿	2	35	G
	☽ △ ♂	4	57	G
	☽ **P** ♂	11	40	B
	☽ ⚼ ♅	7*pm*	10	b
	☽ ⚼ ♆	9	10	b
	☉ **P** ♅	11	53	
7	☿ ✶ ♂	1*am*	47	
Su	☽ ☌ ♃	2	40	G
	☿ **Q** ♃	5	4	
	☽ ⚼ ♂	7	34	b
	☽ **P** ♇	8	8	D
	☉ ⚻ ♅	4*pm*	57	
	☽ □ ♀	5	49	B
	☽ △ ♅	8	31	G
	☽ □ ☉	8	47	B
	☽ △ ♆	10	34	G
8	☽ ✶ ♇	2*am*	48	G
M	☿ ± ♇	5	56	
	☽ **P** ♇	11	53	D
	☽ □ ☿	2*pm*	22	B
	♀ **P** ♅	8	30	
	☉ ⚻ ♆	10	28	
	☉ △ ♄	11	14	
	♀ ⚻ ♅	11	58	
9	☽ ⚼ ♄	0*am*	25	b
Tu	☽ ∠ ♇	4	40	b
	☽ ⊻ ♃	6	31	g
	☽ **P** ♂	0*pm*	52	B
	☽ **P** ♃	6	5	G
	♀ ⚻ ♆	11	20	
10	♀ △ ♄	0*am*	0	
W	☽ □ ♅	0	27	B
	☽ □ ♆	2	37	B
	☽ △ ♄	2	41	G
	☽ △ ♀	2	57	G
	☽ △ ☉	4	49	G
	☽ ⊻ ♇	7	0	g
	☽ ∠ ♃	9	9	b
	☽ ☍ ♂	6*pm*	16	B
11	☽ **P** ♄	1*am*	47	B
Th	☉ **P** ♀	2	44	
	☽ △ ☿	4	38	G
	☽ ⚼ ♀	8	30	b
	☽ ⚼ ☉	9	45	b
	☿ ⚼ ♄	10	1	
	☉ ⚻ ♇	11	12	
	☽ ✶ ♃	0*pm*	19	G
	♀ ⚻ ♇	10	50	
12	☽ ✶ ♅	6*am*	23	G
F	☽ ✶ ♆	8	42	G
	☽ □ ♄	8	46	B
	☽ ⚼ ☿	0*pm*	53	b
	☽ ☌ ♇	1	16	D
	☿ ⚼ ♇	3	22	
	☽ **P** ♆	3	30	D
13	♂ **P** ♃	2*am*	56	
S	☽ **P** ♅	6	27	B
	☽ ∠ ♅	10	12	b
	☿ ✶ ♃	11	22	
	☽ ∠ ♆	0*pm*	34	b
	☽ **P** ☉	1	20	G
	☽ **P** ♀	4	11	G
	☉ ☌ ♀	4	30	
	☽ □ ♃	8	25	B
14	☽ ⚼ ♂	10*am*	33	b
Su	☽ ⊻ ♅	2*pm*	34	g
	☽ ⊻ ♆	5	2	g
	☽ ✶ ♄	5	6	G
	☽ ⊻ ♇	9	47	g
	♂ **Q** ♄	11	52	
15	☽ ● ☉	4*am*	50	B
M	☽ ☍ ♀	5	43	B
	☽ **P** ♀	2*pm*	2	G
	☽ △ ♂	5	21	G
	☽ **P** ☉	6	58	G
	☽ ∠ ♄	10	7	b
	♀ **Q** ♃	10	28	
16	☿ ± ♄	1*am*	43	
Tu	☽ ∠ ♇	2	55	b
	☽ **P** ♅	3	45	B
	☽ △ ♃	6	55	G
	☉ **Q** ♃	4*pm*	14	
	♀ ± ♇	5	59	
	☽ ☍ ☿	6	17	B
	☽ **P** ♆	7	37	D
	☿ **Q** ♂	8	14	
17	☽ ☌ ♅	1*am*	1	B
W	☽ • ♆	3	37	D
	☽ ⊻ ♄	3	40	g
	☽ ✶ ♇	8	34	G
	☽ ⚼ ♃	0*pm*	59	b
	☉ ± ♇	2	36	
18	☽ □ ♂	8*am*	48	B
Th	☽ **P** ♄	0*pm*	25	B
	☿ ☍ ♅	3	49	
19	☽ ⚼ ☉	5*am*	57	b
F	☽ ⚼ ♀	9	24	b
	☿ ☍ ♆	10	20	
	☿ ⚻ ♄	10	23	
	☽ ⊻ ♅	1*pm*	10	g
	☽ ⊻ ♆	3	53	g
	☽ ☌ ♄	3	53	B
	☽ **P** ♂	4	19	B
	♄ ⊻ ♆	7	19	
	☽ □ ♇	8	55	B
20	☽ **P** ♃	3*am*	33	G
S	☿ **P** ♀	11	9	
	☽ △ ☉	3*pm*	1	G
	☽ △ ♀	7	18	G
	☽ ∠ ♅	7	27	b
	☿ △ ♇	10	3	
	☽ ∠ ♆	10	12	b
21	☽ ✶ ♂	1*am*	30	G
Su	☽ ⚼ ☿	4	4	b
	☽ ☍ ♃	8	52	B
	☽ **P** ♇	11	53	D
	☉ **P** ☿	7*pm*	10	
	♀ ⚼ ♄	10	18	
22	☽ ✶ ♅	1*am*	34	G
M	☽ ⊻ ♄	4	15	g
	☽ ✶ ♆	4	19	G
	☽ △ ♇	9	19	G
	☽ ∠ ♂	9	35	b
	☽ △ ☿	2*pm*	44	G
	♃ **Q** ♇	4	43	
	☿ ∠ ♃	7	3	
	☽ **P** ♇	8	24	D
23	☽ □ ☉	8*am*	11	B
Tu	☽ ∠ ♄	9	51	b
	☿ **P** ♅	1*pm*	33	
	☽ □ ♀	1	56	B
	☽ ⚼ ♇	2	51	b
	☽ ⊻ ♂	5	2	g
	♀ ⚼ ♇	10	59	
24	☽ **P** ♃	2*am*	37	G
W	☉ ⚼ ♄	4	52	
	☽ □ ♅	0*pm*	11	B
	☽ ✶ ♄	2	45	G
	☽ □ ♆	2	52	B
	☽ **P** ♂	9	15	B
25	☽ ⚼ ♃	2*am*	1	b
Th	☽ □ ☿	8	37	B
	☽ **P** ♄	4*pm*	55	B
	☽ ✶ ☉	9	53	G
26	☽ ✶ ♀	4*am*	39	G
F	☽ ☌ ♂	5	0	B
	☽ △ ♃	6	3	G
	☽ ✶ ♂	1*pm*	17	
	☽ △ ♅	7	28	G
	☉ ⚼ ♇	8	32	
	♀ ✶ ♃	9	35	
	☽ □ ♄	9	50	B
	☽ △ ♆	10	1	G
27	☿ **P** ♆	0*am*	38	
S	☽ ☍ ♇	2	31	B
	☽ ∠ ☉	2	59	b
	♂ △ ♃	4	48	
	☽ **P** ☿	4	53	G
	☽ **P** ♆	5	34	D
	☽ ∠ ♀	10	7	b
	☽ **P** ♅	8*pm*	2	B
	☽ ✶ ☿	8	45	G
	☽ ⚼ ♅	9	43	b
28	☽ ⚼ ♆	0*am*	12	b
Su	☽ **P** ☉	1	56	G
	☽ ⊻ ☉	6	58	g
	☽ **P** ♀	9	39	G
	☽ □ ♃	11	16	B
	☽ ⊻ ♂	0*pm*	35	g
	☽ ⊻ ♀	2	25	g
29	♀ ± ♄	0*am*	9	
M	☽ ∠ ☿	0	51	b
	☽ △ ♄	1	21	G
	☽ ∠ ♂	2*pm*	59	b
	☽ **P** ♀	8	15	G
	☿ ⊥ ♃	10	45	
30	☽ ⚼ ♄	2*am*	4	b
Tu	☽ **P** ☉	3	3	G
	☽ ⊻ ☿	4	0	g
	☽ ⚼ ♇	6	32	b
	☽ **P** ♅	6	53	B
	☽ • ●	0*pm*	18	D
	☽ ✶ ♃	1	28	G
	☽ ✶ ♂	4	46	G
	☽ **P** ♆	8	20	D
	☽ ☌ ♀	8	28	G

JULY

1	☽ ☍ ♅	0*am*	13	B
W	☽ ☍ ♆	2	38	B
	☽ △ ♇	6	48	G
	☉ ✶ ♃	9	38	
	☽ **P** ☿	10	19	G

Day	Aspect	Time	
	☽ ∠ ♃	1pm56	b
2	☽ P ♄	4am27	B
Th	☽ ☌ ☿	8 36	G
	☽ P ♂	1pm25	B
	☽ ⊻ ♃	2 16	g
	☽ ⊻ ☉	3 54	g
	♀ ☍ ♅	4 34	
	☽ □ ♂	7 28	B
3	☽ ⊻ ♀	1am 3	g
F	☽ ☍ ♄	2 23	B
	☉ ± ♄	4 41	
	☽ □ ♇	6 59	B
	☽ P ♃	3pm57	G
	♀ ⊼ ♄	4 40	
	☽ ∠ ☉	5 47	b
	☉ P ♅	8 34	
	♀ ☍ ♆	9 30	
4	☽ ⚼ ♅	0am34	b
S	☽ ⚼ ♆	3 3	b
	☽ ∠ ♀	3 34	b
	☽ ⊻ ☿	1pm 3	g
	☽ P ♇	2 38	D
	☽ ☌ ♃	3 29	G
	☽ ⚹ ☉	8 4	G
	☽ △ ♂	10 51	G
5	☽ △ ♅	1am10	G
Su	☽ △ ♆	3 45	G
	☽ ⚹ ♀	6 38	G
	☽ ⚹ ♇	8 8	G
	☽ ∠ ☿	3pm53	b
	♀ P ♅	4 48	
	☽ P ♇	6 6	D
6	♀ △ ♇	0am 5	
M	☽ ⚼ ♂	1 22	b
	☽ ⚼ ♄	4 27	b
	☿ ⊻ ♃	7 35	
	☽ ∠ ♇	9 32	b
	☽ P ♃	5pm 2	G
	☽ ⊻ ♃	6 43	g
	☽ ⚹ ☿	7 22	G
	♂ △ ♅	7 43	
7	☽ □ ☉	2am43	B
Tu	☽ □ ♅	4 10	B
	☽ △ ♄	6 18	G
	☽ □ ♆	6 55	B
	☽ ⊻ ♇	11 36	g
	☽ □ ♀	3pm11	B
	☽ ∠ ♃	9 24	b
	☉ ☍ ♅	10 38	
8	☿ P ♄	4am42	
W	☽ P ♂	5 47	B
	☽ P ☿	9 11	G
	☽ P ♄	9 41	B
	♂ □ ♄	10 7	
	☉ P ♀	5pm52	
	♂ △ ♆	10 49	
9	☽ ⚹ ♃	0am53	G
Th	☉ ⊼ ♄	3 20	
	☽ □ ☿	4 36	B
	☿ P ♂	5 58	
	☽ ⚹ ♅	10 1	G
	☽ □ ♄	0pm12	B
	☽ △ ☉	0 57	G
	☽ ⚹ ♆	0 59	G
	☉ ☍ ♆	1 26	
	☽ ☍ ♂	1 51	B
	☽ ☌ ♇	6 0	D
	☽ P ♆	10 8	D
10	☽ △ ♀	3am38	G
F	☽ P ♀	4 3	G
	☽ P ☉	5 6	G
	☽ ∠ ♅	2pm 2	b
	☽ P ♅	2 14	B
	☽ ∠ ♆	5 6	b
	☽ ⚼ ☉	7 26	b
	♀ ∠ ♃	9 8	
11	☉ ⚹ ♂	8am57	
S	☽ □ ♃	10 3	B
	☽ ⚼ ♀	11 17	b
	☽ △ ☿	4pm34	G
	☽ ⊻ ♅	6 41	g
	♂ P ♄	8 21	
	☽ ⚹ ♄	8 53	G
	☽ ⊻ ♆	9 51	g
12	☽ ⊻ ♇	3am10	g
Su	☉ △ ♇	8 39	
	♂ ☍ ♇	4pm54	
	♀ P ♆	6 32	
	☽ ⚼ ☿	11 17	b
13	☽ ∠ ♄	2am 4	b
M	☽ P ♅	8 23	B
	☽ ∠ ♇	8 35	b
	☽ ⚼ ♂	9 33	b
	☿ ⊼ ♅	0pm31	
	☽ △ ♃	9 39	G
14	☽ P ☉	0am 9	G
Tu	☽ P ♆	1 22	D
	☽ P ♀	4 49	G
	☽ ☌ ♅	5 32	B
	☽ ⊻ ♄	7 40	g
	☽ ● ♆	8 51	D
	☽ ⚹ ♇	2pm25	G
	☽ △ ♂	5 17	G
	☉ P ♆	5 35	
	☽ ☍ ☉	7 6	B
15	☽ ⚼ ♃	4am 6	b
W	☽ P ♂	11 53	B
	☽ ☍ ♀	2pm18	B
	☽ P ♄	4 9	B
	☿ ☍ ♄	7 9	
16	☽ P ☿	1am 3	G
Th	☽ ⊻ ♅	5 43	g
	☽ ☌ ♄	7 46	B
	☽ ☍ ☿	8 32	B
	☽ ⊻ ♆	9 9	g
17	☽ □ ♇	2am53	B
F	☽ □ ♂	9 37	B
	☽ P ♃	7pm27	G
18	☽ ∠ ♅	0am 1	G
S	☽ ∠ ♆	3 29	b
	☿ ⊼ ♆	4 59	
	☽ P ♇	6pm20	D
	☽ ⚼ ☉	9 59	b
19	☽ ☍ ♃	0am28	B
Su	☽ ⚹ ♅	6 14	G
	☽ ⊻ ♄	8 7	g
	♀ ⊥ ♃	9 38	
	☽ ⚹ ♆	9 42	G
	♀ Q ♂	3pm20	
	☽ △ ♇	3 29	G
	☽ ⚼ ♀	7 45	b
20	☿ Stat.	0am54	
M	☽ ⚹ ♂	1 55	G
	☽ P ♇	4 18	D
	☽ △ ☉	6 44	G
	☉ ∠ ♃	11 26	
	☽ ∠ ♄	1pm59	b
	☽ ⚼ ☿	4 1	b
	☽ ⚼ ♇	9 24	b
21	☽ P ♃	1am35	G
Tu	☽ △ ♀	4 58	G
	☽ ∠ ♂	9 27	b
	☽ □ ♅	5pm38	B
	☽ ⚹ ♄	7 20	G
	☽ □ ♆	9 4	B
	☽ △ ☿	9 15	G
22	☽ P ☿	0am58	G
W	☿ ⊼ ♆	0pm 5	
	☽ ⊻ ♂	4 14	g
	☽ ⚼ ♃	6 33	b
	☽ □ ☉	10 12	B
23	♀ P ♂	0am20	
Th	☽ P ♄	5 1	B
	☽ P ♀	3pm32	G
	☽ P ♂	5 51	B
	☽ □ ♀	8 37	B
	☽ △ ♃	11 6	G
24	☽ P ☉	1am22	G
F	☽ △ ♅	2 22	G
	☽ □ ♄	3 49	B
	☽ □ ☿	4 53	B
	☽ △ ♆	5 38	G
	☽ ☍ ♇	11 4	B
	☽ P ♆	4pm19	D
25	☽ ☌ ♂	2am42	B
S	♀ ⊻ ♃	3 6	
	☽ ⚼ ♅	5 21	b
	☽ P ♅	8 14	B
	☽ ⚼ ♆	8 33	b
	☽ ⚹ ☉	9 29	G
	☿ ☍ ♄	10pm49	
26	☽ □ ♃	5am14	B
Su	☽ ⚹ ♀	7 22	G
	♀ ⊼ ♅	7 48	
	☽ ⚹ ☿	8 21	G
	☽ △ ♄	8 38	G
	☽ ∠ ☉	1pm20	b
	☉ P ♂	2 41	
	☿ ☌ ♀	3 41	
	♀ ☍ ♄	9 8	
27	♂ ⚼ ♅	4am38	
M	☽ ∠ ☿	8 41	b
	☽ ⊻ ♂	8 47	g
	☽ ⚼ ♄	9 43	b
	☽ ∠ ♀	10 57	b
	☿ ⊼ ♅	11 22	
	☽ P ♅	3pm24	B
	☽ ⊻ ☉	4 9	g
	☽ ⚼ ♇	4 38	b
	♀ ⊼ ♆	6 35	
	♀ P ♄	9 34	
28	☽ P ♆	5am56	D
Tu	☽ ⚹ ♃	7 45	G
	☽ ⊻ ☿	8 15	g
	☽ ☍ ♅	9 2	B
	☽ ∠ ♂	10 28	b
	☽ ☍ ♆	0pm 0	B
	☽ ⊻ ♀	1 36	g
	☽ △ ♇	4 57	G
	☿ ⊻ ♃	5 12	
	☽ P ♂	8 37	B
29	☽ P ☉	2am23	G
W	☽ ∠ ♃	8 4	b
	☽ ⚹ ♂	11 33	G
	☽ P ♄	11 47	B
	☿ Q ♂	2pm41	
	☽ P ♀	3 24	G
	♂ ⚼ ♆	7 2	
	☽ ☌ ☉	7 35	D
30	☽ ● ☿	5am57	G
Th	♀ □ ♇	6 14	
	☽ ⊻ ♃	8 4	g
	☽ ☍ ♄	9 30	B
	☽ P ☿	11 37	G
	☽ □ ♇	4pm28	B
	☽ ☌ ♀	5 22	G
	♇ Stat.	9 19	
31	♀ ± ♅	1am26	
F	☽ ⚼ ♅	8 13	b
	☽ P ♃	9 34	G
	☽ ⚼ ♆	11 11	b
	☽ □ ♂	1pm 7	B
	♃ △ ♅	7 50	
	☽ ⊻ ☉	10 11	g
	☽ P ♇	11 7	D
AUGUST			
1	☽ ⊻ ☿	3am15	g
S	☉ ⊥ ♃	4 27	
	☽ △ ♅	8 3	G
	☽ ☌ ♃	8 14	G
	☽ △ ♆	11 5	G
	♀ ± ♆	1pm18	
	☽ ⚹ ♇	4 13	G
	☽ ⊻ ♀	9 28	g
2	☽ ∠ ☉	0am 1	b
Su	☽ ∠ ☿	2 19	b
	☽ P ♇	3 18	D
	☽ ⚼ ♄	9 7	b
	☽ △ ♂	3pm57	G
	☽ P ♃	4 36	G
	☽ ∠ ♇	4 48	b
	♃ ⊼ ♄	6 39	
	☉ ☌ ☿	8 43	
3	☽ ∠ ♀	0am32	b
M	☽ ⚹ ☿	1 56	G
	☽ ⚹ ☉	2 36	G
	☽ □ ♅	9 22	B
	☽ △ ♄	10 5	G
	☽ ⊻ ♃	10 23	g
	☽ □ ♆	0pm37	B
	☽ ⊻ ♇	6 9	g
	☽ ⚼ ♂	6 33	b
	☽ P ☿	9 41	G
4	☽ P ♀	3am20	G
Tu	☉ P ♄	3 28	
	☽ ⚹ ♀	4 39	G
	☿ ⊥ ♃	5 29	
	☽ ∠ ♃	0pm43	b
	☽ P ☉	7 11	G
	☽ P ♄	8 21	B
5	☽ □ ☿	3am29	B
W	☽ □ ☉	10 59	B
	☽ ⚹ ♅	2pm 1	G
	☿ P ♀	2 21	
	☽ □ ♄	2 38	B
	☽ ⚹ ♃	4 3	G
	☽ ⚹ ♆	5 33	G
	☽ P ♂	9 35	B
	☽ ☌ ♇	11 36	D
6	☽ P ♆	6am 0	D
Th	☽ □ ♀	4pm37	B
	☽ ∠ ♅	5 46	b
	☽ ∠ ♆	9 26	b
	☽ P ♅	11 23	B
7	☉ ⊼ ♅	3am37	
F	♀ ⚼ ♅	4 12	
	☿ ⚹ ♂	7 39	
	☽ △ ☿	8 36	G
	☽ ☍ ♂	8 42	B
	☉ ☍ ♄	9 53	
	☽ ⊻ ♅	10pm21	g
	☽ ⚹ ♄	10 49	G
	☽ △ ☉	11 59	G
8	☽ □ ♃	1am35	B
S	☽ ⊻ ♆	2 9	g
	☽ ⊻ ♇	8 41	g
	☽ ⚼ ☿	0pm29	b
	♀ ⚼ ♆	5 34	
	♂ ± ♅	11 20	
9	☉ ⊻ ♃	1am42	
Su	☉ ⊼ ♆	3 20	
	☽ ∠ ♄	4 1	b
	☽ ⚼ ☉	7 55	b
	♃ △ ♆	8 52	
	☽ △ ♀	9 9	G
	☽ P ♅	11 18	B
	☽ ∠ ♇	2pm16	b
10	☽ P ♆	5am44	D
M	☽ ● ♅	9 28	B
	☽ ⊻ ♄	9 43	g
	☽ P ♂	9 46	B
	☽ ☌ ♆	1pm26	D
	☽ △ ♃	1 58	G
	☽ ⚼ ♀	6 33	b
	☽ ⚹ ♇	8 18	G
11	☉ P ☿	0am 5	
Tu	☽ ⚼ ♂	6 42	b
	☽ P ♄	5pm55	B
	☽ ⚼ ♃	8 44	b
	♂ ± ♆	9 12	
12	☿ ⊻ ♀	3am55	
W	☽ ☍ ☿	4 17	B
	☽ P ☿	5 38	G
	☽ P ☉	10 38	G
	☽ △ ♂	2pm47	G
	☉ □ ♇	4 27	
	☽ ⊻ ♅	9 52	g
	☽ ☌ ♄	9 52	B
13	☽ ⊻ ♆	1am56	g
Th	☿ Stat.	2 53	
	☉ ± ♅	5 0	
	☽ □ ♇	9 0	B
	♄ ⊻ ♅	9 27	
	☽ ☍ ☉	10 27	B
	☽ P ♀	2pm35	G
	♀ Q ♃	10 31	
14	♂ P ♆	3am 7	
F	☽ ∠ ♅	4 11	b
	☽ ∠ ♆	8 15	b
	☽ P ♃	0pm44	G
	☽ P ♇	11 35	D
15	☽ ☍ ♀	0am 4	B
S	☉ ± ♆	6 6	
	☽ □ ♂	6 59	B
	☽ ⊻ ♄	10 12	g
	☽ ⚹ ♅	10 23	G
	☽ ⚹ ♆	2pm27	G
	☽ ☍ ♃	5 19	B
	☽ △ ♇	9 37	G
16	☽ ⚼ ☿	0am 7	b
Su	☽ P ♇	0pm14	D
	☽ ∠ ♄	4 5	b
	☽ P ♃	9 55	G
17	☽ ⚼ ♇	3am36	b
M	☽ △ ☿	7 8	G
	☽ P ♀	11 2	G
	☽ ⚼ ☉	0pm45	b
	♂ △ ♄	1 2	
	♂ ⊼ ♅	7 45	
	☽ ⚹ ♄	9 39	G
	☽ □ ♅	10 3	B
	☽ ⚹ ♂	10 11	G
18	☽ □ ♆	2am 4	B
Tu	☿ ⊥ ♀	7 48	
	☽ P ☉	0pm41	G
	☽ △ ☉	8 40	G
	☽ ⊼ ♄	9 17	
19	♀ △ ♅	2am 1	
W	☽ ⚼ ♀	3 23	b
	☽ ∠ ♂	5 1	b
	☽ ⚼ ♃	11 34	b
	☽ P ☿	1pm31	G
	☽ P ♄	5 3	B
	☽ □ ☿	8 52	B

Date	Aspect	Time	
20 TH	☽ □ ♄	7*am*14	B
	☽ △ ♅	7 49	G
	☽ △ ♀	11 4	G
	☽ ⊻ ♂	11 6	g
	☽ △ ♆	11 42	G
	♀ □ ♂	11 50	
	☽ △ ♃	4*pm*28	G
	♀ △ ♆	5 32	
	☽ ☍ ♇	6 39	B
	♂ ⊽ ♆	10 44	
21 F	☽ P ♆	2*am*35	D
	☽ P ♂	9 39	B
	☽ □ ☉	10 1	B
	☽ ⊡ ♅	11 38	b
	☽ ⊡ ♆	3*pm*24	b
	☽ P ♅	8 33	B
22 S	☉ Q ♂	4*am*33	
	☉ ⊡ ♅	7 25	
	☽ ✱ ☿	8 37	G
	☽ △ ♄	1*pm*50	G
	☽ ☌ ♂	8 24	B
	☽ □ ♀	11 7	B
	☽ □ ♃	11 37	B
23 SU	♀ ☌ ♃	5*am*43	
	♀ ± ♄	0*pm* 1	
	☽ ∠ ☿	1 17	b
	☽ ⊡ ♄	3 49	b
	♀ ✱ ♇	6 52	
	☽ ✱ ☉	7 7	G
	♀ P ♃	7 28	
	☽ P ♅	9 42	B
24 M	☽ ⊡ ♇	2*am*37	b
	☽ P ♂	5 27	B
	☉ ⊡ ♆	10 12	
	♃ ± ♄	10 58	
	☽ P ♆	2*pm*10	D
	☿ ☍ ♄	3 49	
	☿ ⊥ ♃	5 2	
	☽ ⊻ ☿	5 3	g
	☽ ☍ ♅	5 47	B
	☽ ☍ ♆	9 14	B
	☽ ∠ ☉	10 2	b
25 TH	☿ ⊽ ♅	0*am*51	
	☽ ⊻ ♂	1 36	g
	☽ ✱ ♃	3 5	G
	☽ △ ♇	3 33	G
	☽ ✱ ♀	6 31	G
	☽ P ♄	6*pm*37	B
26 W	☽ ⊻ ☉	0*am* 5	g
	☽ P ☿	1 1	G
	☽ ∠ ♂	2 56	b
	☽ ∠ ♃	3 40	b
	♀ P ♇	6 36	
	☽ ∠ ♀	8 50	b
	☿ ⊽ ♆	11 43	
	♃ ✱ ♇	3pm 3	
	☽ ☍ ♄	5 10	B
	☽ ☌ ☿	10 32	G
27 TH	♂ ⊽ ♇	0*am*58	
	☽ □ ♇	3 37	B
	☽ ✱ ♂	3 44	G
	☽ ⊻ ♃	3 47	g
	♂ □ ♃	5 47	
	☽ P ☉	7 51	G
	☽ ⊻ ♀	10 37	g
	☽ ⊡ ♅	5*pm*43	b
	☽ ⊡ ♆	9 1	b
28 F	☽ ☌ ☉	2*am*42	D
	☽ P ♃	5 23	G
	☽ P ♇	8 45	D
	☽ P ♀	1*pm*26	G
	☽ △ ♅	5 15	G
	☽ △ ♆	8 35	G
	☿ ± ♅	10 13	
	☿ □ ♇	11 28	
29 S	☽ ✱ ♇	2*am*52	G
	☽ ⊻ ☿	3 17	g
	☽ ☌ ♃	3 39	G
	☽ □ ♂	4 55	B
	☿ ⊻ ♃	7 2	
	☽ P ♀	8 33	G
	☽ ☌ ♀	2*pm* 4	G
	☽ P ♇	2 59	D
	☿ ⊥ ♀	3 21	
	☽ ⊡ ♄	3 50	b
	☽ P ♃	5 50	G
30 SU	☿ ✱ ♂	1*am* 5	
	☽ ∠ ♇	2 53	b
	☿ ± ♆	3 50	
	☽ ⊻ ☉	5 37	g
	☽ ∠ ☿	6 24	b
	♀ ⊡ ♄	10 38	
	☽ P ☉	11 43	G
	☽ △ ♄	4*pm* 1	G
	☽ □ ♅	5 19	B
	☽ □ ♆	8 49	B
31 M	☽ ⊻ ♇	3*am*30	g
	☽ ⊻ ♃	5 0	g
	☽ △ ♂	7 46	G
	☽ ∠ ☉	8 5	b
	☽ ✱ ☿	10 36	G
	☽ P ☿	2*pm*21	G
	☉ Q ♇	2 39	
	☽ ⊻ ♀	7 58	g
SEPTEMBER			
1 TU	☽ ∠ ♃	6*am*54	b
	☽ P ♄	9 18	B
	☽ ⊡ ♂	10 33	b
	☽ ✱ ☉	11 39	G
	☽ □ ♄	6*pm*46	B
	☽ ✱ ♅	8 20	G
2 W	☽ ✱ ♆	0*am* 7	G
	☽ ∠ ♀	0 40	b
	☽ ☌ ♇	7 28	D
	☽ ✱ ♃	9 52	G
	☽ P ♆	4*pm* 7	D
	☿ ⊡ ♅	9 58	
	☽ ∠ ♅	11 23	b
	☽ □ ☿	11 37	B
3 TH	☽ ∠ ♆	3*am*19	b
	☽ ✱ ♀	6 46	G
	☽ P ♂	10 48	B
	☽ P ♅	11 8	B
	♂ P ♅	9*pm* 5	
	☽ □ ☉	10 39	B
4 F	☿ ⊡ ♆	0*am*55	
	☽ ✱ ♄	1 34	G
	☽ ⊻ ♅	3 28	g
	☽ ⊻ ♆	7 33	g
	☽ ⊻ ♇	3*pm*35	g
	☽ □ ♃	7 4	B
5 S	☽ ☍ ♂	1*am*55	B
	♀ ∠ ♇	3 59	
	☽ ∠ ♄	6 25	b
	☉ ⊽ ♄	10 42	
	☽ P ♂	11 26	B
	☽ P ♅	0*pm*40	B
	☽ △ ☿	7 25	G
	☽ ∠ ♇	9 1	b
	☽ □ ♀	10 55	B
	♃ P ♇	11 15	
6 SU	♂ ± ♇	6*am*57	
	☽ P ♆	9 3	D
	☽ ⊻ ♄	0*pm* 0	g
	☉ △ ♅	0 27	
	☽ ☌ ♅	2 12	B
	☽ △ ☉	2 22	G
	☽ ● ♆	6 30	D
7 M	☽ ✱ ♇	3*am* 4	G
	☽ ⊡ ☿	7 10	b
	☽ △ ♃	7 41	G
	☽ P ♄	7*pm* 7	B
	☿ Q ♇	7 23	
	☽ ⊡ ☉	11 17	b
8 TU	☿ ⊻ ♀	1*am*44	
	☿ Q ♂	10 42	
	☽ ⊡ ♃	2*pm*36	b
	♂ ⊡ ♄	3 57	
	☉ △ ♆	4 55	
	☽ △ ♀	6 16	G
9 W	☽ ☌ ♄	0*am*19	B
	☽ ⊡ ♂	0 47	b
	☽ ⊻ ♅	2 47	g
	☽ ⊻ ♆	7 8	g
	☽ □ ♇	3*pm*56	B
	♀ P ♃	4 46	
10 TH	☿ ⊽ ♄	0*am*45	
	☽ ⊡ ♀	4 11	b
	☽ P ☿	6 5	G
	☽ △ ♂	8 44	G
	☽ ∠ ♅	9 8	b
	♀ P ♇	10 25	
	☽ ∠ ♆	1*pm*29	b
	☿ △ ♅	4 25	
11 F	☽ P ☉	1*am*19	G
	☽ P ♀	2 20	G
	♀ △ ♄	2 26	
	☽ P ♇	4 0	D
	☽ P ♃	6 39	G
	☉ ± ♄	6 54	
	☉ P ♀	7 15	
	☽ ⊻ ♄	0*pm*40	g
	☽ ✱ ♅	3 19	G
	☿ △ ♆	7 21	
	☽ ✱ ♆	7 38	G
	☽ ☍ ☿	7 41	B
12 S	☽ ☍ ☉	2*am*17	B
	♀ □ ♅	3 47	
	☽ △ ♇	4 28	G
	☉ P ♇	9 32	
	☽ ☍ ♃	11 1	B
	♀ ⊥ ♇	3*pm*17	
	☽ P ♃	4 54	G
	☽ ∠ ♄	6 30	b
	☽ P ☉	7 25	G
	☽ P ♇	8 14	D
	☽ □ ♂	11 52	B
13 SU	☿ ± ♄	2*am*19	
	☽ P ♀	3 1	G
	☽ P ☿	5 50	G
	☉ ✱ ♇	5 57	
	☽ ⊡ ♇	10 19	b
	☿ P ♀	3*pm* 2	
	♀ □ ♆	9 41	
14 M	☽ ✱ ♄	0*am* 0	G
	☽ □ ♅	2 48	B
	☿ ✱ ♇	4 8	
	☽ □ ♆	7 1	B
	☽ ☍ ♀	8 3	B
	☉ P ♃	0*pm*35	
15 TU	☉ ☌ ☿	3*am*48	
	☽ ✱ ♂	1*pm*23	G
	☿ P ♇	2 25	
16 W	☽ ⊡ ☉	2*am* 2	b
	☽ P ♄	3 33	B
	☽ ⊡ ☿	3 51	b
	☽ ⊡ ♃	4 32	b
	☿ ☌ ♃	8 58	
	☽ □ ♄	9 49	B
	☽ △ ♅	0*pm*43	G
	☽ △ ♆	4 48	G
	☽ ∠ ♂	7 21	b
	☿ P ♃	10 40	
17 TH	☽ ☍ ♇	1*am*26	B
	☽ △ ☉	8 48	G
	☽ △ ♃	9 23	G
	☽ P ♆	11 41	D
	☽ △ ☿	0*pm*57	G
	♀ ⊻ ♇	3 15	
	☽ ⊡ ♅	4 54	b
	☉ ☌ ♃	6 31	
	☿ ⊡ ♄	8 0	
	☽ ⊡ ♆	8 54	b
18 F	☽ ⊻ ♂	0*am*40	g
	☽ ⊡ ♀	6 51	b
	☽ P ♅	8 15	B
	☽ △ ♄	5*pm*31	G
	☉ P ☿	5 34	
	☽ P ♂	5 38	B
19 S	☽ △ ♀	0 48	G
	☽ P ♂	2 48	B
	☽ □ ♃	5 4	B
	☽ □ ☉	7 53	B
	☽ ⊡ ♄	8 22	b
20 SU	☽ P ♅	0*am* 6	B
	☉ ⊡ ♄	2 16	
	☽ □ ☿	3 53	B
	☽ ● ♂	8 55	B
	☽ ⊡ ♇	11 17	b
	☽ P ♆	7*pm*25	D
21 M	☽ ☍ ♅	1*am*23	B
	☽ ☍ ♆	5 3	B
	☉ P ☿	9 44	
	☽ △ ♇	1*pm* 4	G
	♀ ⊻ ♃	8 55	
	☽ ✱ ♃	9 38	G
	☽ □ ♀	9 41	B
	☽ P ♄	11 51	B
22 TU	☽ ✱ ☉	3*am*16	G
	☿ □ ♂	10 21	
	☽ ⊻ ♂	1*pm*46	g
	☽ ✱ ☿	2 6	G
	♀ ∠ ♇	2 30	
	☽ ∠ ♃	10 49	b
	♅ **Stat.**	11 43	
23 W	♂ ⊡ ♇	0*am*24	
	☽ ☍ ♄	0 30	B
	☽ ∠ ☉	5 42	b
	♂ ± ♄	1*pm*20	
	☽ □ ♇	2 38	B
	☽ P ♀	2 48	G
	☽ ∠ ♂	3 8	b
	☽ ∠ ☿	5 44	b
	☿ P ♃	7 25	
	☽ ⊻ ♃	11 27	g
24 TH	☽ ✱ ♀	3*am* 9	G
	☽ ⊡ ♅	3 36	b
	☽ ⊡ ♆	7 2	b
	☽ ⊻ ☉	7 32	g
	☽ ✱ ♂	4*pm* 2	G
	☽ P ♇	5 42	D
	☽ ⊻ ☿	8 48	g
	☽ P ☿	9 31	G
25 F	☽ P ♃	1*am*18	G
	☽ △ ♅	3 31	G
	☽ ∠ ♀	5 10	b
	☽ P ☉	6 36	G
	☽ △ ♆	6 55	G
	☽ ✱ ♇	2*pm*37	G
	☽ P ☉	2 55	G
	☽ P ♃	7 26	G
	☽ ☌ ♃	11 57	G
26 S	☽ ⊡ ♄	0*am*23	b
	☽ P ☿	3 19	G
	☽ P ♇	3 23	D
	☿ P ♇	3 52	
	☿ △ ♄	5 48	
	☽ ⊻ ♀	7 10	g
	☽ ☌ ☉	10 40	D
	☽ ∠ ♇	2*pm*37	b
	☽ □ ♂	5 36	B
	♀ Q ♅	7 45	
27 SU	☽ △ ♄	0*am*24	G
	♃ ⊡ ♄	2 7	
	☽ ☌ ☿	2 48	G
	☽ □ ♅	3 31	B
	☽ □ ♆	6 59	B
	☿ □ ♅	9 12	
	☽ ⊻ ♇	3*pm* 0	g
	☽ P ♀	3 14	G
	♆ **Stat.**	6 35	
	♀ ⊥ ♃	7 51	
28 M	☿ ⊥ ♇	0*am*22	
	☉ P ♃	0 42	
	☽ ⊻ ♃	1 17	g
	☽ ☌ ♀	0*am*39	G
	♀ Q ♆	1 34	
	☽ ⊻ ☉	3 23	g
	☿ □ ♆	4 10	
	☽ △ ♂	8 54	G
	☽ P ♄	10 35	B
29 TU	☉ ∠ ♇	0*am*41	
	☽ □ ♄	2 7	B
	☽ ∠ ♃	2 58	b
	☽ ✱ ♅	5 33	G
	☽ ✱ ♆	9 13	G
	☽ ⊻ ☿	11 29	g
	☽ ☌ ♇	5*pm*52	D
	☽ ∠ ☉	7 9	b
	☽ ⊡ ♂	11 54	b
30 W	☽ P ♆	3*am*55	D
	☽ ✱ ♃	5 37	G
	☽ ∠ ♅	7 53	b
	☽ ∠ ♆	11 41	b
	☽ ∠ ☿	5*pm*45	b
	☽ ⊻ ♀	10 22	g
OCTOBER			
1 TH	☽ ✱ ☉	0*am*12	G
	☽ P ♅	1 1	B
	☽ ✱ ♄	7 26	G
	☽ P ♂	10 40	B
	☽ ⊻ ♅	11 17	g
	☽ ⊻ ♆	3*pm*13	g
	☿ ⊻ ♇	6 50	
2 F	☽ ⊻ ♇	0*am*42	g
	☽ ✱ ☿	1 31	G
	☽ P ♂	4 32	B
	☽ ∠ ♀	5 18	b
	☽ ∠ ♄	11 40	b
	☽ P ♅	2*pm* 2	B
	☽ □ ♃	2 13	B
3 S	☽ ∠ ♇	5*am*39	b
	☽ P ♆	0*pm*41	D
	☽ ✱ ♀	1 33	G
	☽ □ ☉	2 12	B
	☽ ☍ ♂	3 43	B
	☽ ⊻ ♄	4 49	g
	☉ P ♇	8 44	
	☽ ☌ ♅	9 4	B
4 SU	☽ ● ♆	1*am*14	D
	☽ ✱ ♇	11 25	G
	♂ ⊽ ♄	6*pm*15	
	☉ ⊻ ♀	8 14	

Date	Aspect	Time	Code
	☽ □ ☿	8 59	B
	♀ □ ♄	9 41	
	☽ P ♄	9 56	B
	☉ △ ♄	10 1	
5	♀ △ ♂	0am 0	
M	☉ □ ♂	1 46	
	☽ △ ♃	2 33	G
	☽ P ♀	2pm 8	G
6	☽ ☌ ♄	4am57	B
Tu	☽ △ ☉	7 49	G
	☽ □ ♀	8 36	B
	☽ ⚼ ♃	9 27	b
	☽ ⊻ ♅	9 27	g
	☽ ⊻ ♆	1pm41	g
	☽ P ☿	4 45	G
	♀ ✱ ♅	4 56	
	♀ ∠ ♃	6 19	
	☿ ⊻ ♃	10 3	
7	☽ □ ♇	0am11	B
W	☉ □ ♅	3 42	
	☽ ⚼ ♂	2pm 8	b
	☽ ∠ ♅	3 53	b
	☽ ⚼ ☉	4 58	b
	☽ △ ☿	6 43	G
	☽ ∠ ♆	8 4	b
8	☽ P ☉	0am20	G
Th	☽ P ♇	8 16	D
	♀ ✱ ♆	10 1	
	☉ ⊥ ♇	11 28	
	☽ ⊻ ♄	5pm31	g
	☿ Q ♅	8 24	
	☽ △ ♂	9 34	G
	☽ ✱ ♅	10 6	G
9	☽ P ♃	0am50	G
F	☽ ✱ ♆	2 14	G
	☽ △ ♀	4 3	G
	☽ ⚼ ☿	5 12	b
	☉ □ ♆	6 28	
	☽ P ♃	11 54	G
	♂ ☍ ♅	0pm 4	
	☽ △ ♇	0 43	G
	☽ ∠ ♄	11 23	b
10	☽ P ♇	4am36	D
S	☽ ☍ ♃	5 28	B
	☿ Q ♆	5 45	
	☽ ⚼ ♀	1pm 5	b
	☽ P ☉	5 33	G
	☽ ⚼ ♇	6 24	b
11	☽ ✱ ♄	4am48	G
Su	♀ P ♄	7 21	
	☽ □ ♅	9 22	B
	☽ □ ♂	11 2	B
	☽ □ ♆	1pm20	B
	☿ ⊥ ♃	2 12	
	☽ ☍ ☉	6 3	B
12	☽ P ☿	4 26	G
M	♀ ☌ ♇	7 51	
13	☽ ☍ ☿	8am29	B
Tu	☽ P ♄	11 44	B
	☽ □ ♄	2pm14	B
	☽ P ♀	6 40	G
	☽ △ ♅	6 45	G
	☽ ⚼ ♃	9 31	b
	☽ ✱ ♂	10 20	G
	☽ △ ♆	10 33	G
14	♂ ☍ ♆	4am43	
W	☽ ☍ ♇	8 38	B
	☽ ☍ ♀	0pm21	B
	☉ ⊻ ♇	6 24	
	☽ P ♆	7 29	D
	☽ ⚼ ♅	10 45	b
15	☽ △ ♃	1am53	G
Th	☽ ⚼ ♆	2 28	b
	☽ ∠ ♂	3 12	b
	☿ □ ♄	11 37	
	☽ ⚼ ☉	1pm51	b
	☽ P ♅	6 20	B
	☽ P ♂	7 4	B
	☽ △ ♄	9 49	G
16	♄ Stat.	2am 8	
F	☽ ⊻ ♂	7 32	g
	☽ △ ☉	7pm17	G
	♂ P ♅	10 45	
17	☽ P ♅	0am30	B
S	☽ P ♂	0 32	B
	☽ ⚼ ♄	0 55	b
	☽ ⚼ ☿	5 15	b
	☿ ✱ ♅	6 3	
	☽ □ ♃	9 8	B
	☽ ⚼ ♇	6pm36	b
	☽ P ♆	10 29	D
	☿ P ♄	11 41	
18	☽ ⚼ ♀	5am53	b
Su	☽ ☍ ♅	7 53	B
	☽ P ♀	9 2	G
	☽ △ ☿	10 42	G
	☽ ☍ ♆	11 20	B
	☽ ☌ ♂	2pm29	B
	☿ ✱ ♆	5 7	
	☽ △ ♇	8 54	G
19	☽ P ☿	0am32	G
M	☿ ∠ ♃	1 29	
	☽ P ♄	4 3	B
	☽ □ ☉	4 12	B
	♀ ∠ ♅	4 40	
	☽ △ ♀	10 22	G
	☽ ✱ ♃	2am15	G
	♀ Q ♄	2 26	
20	☽ ☍ ♄	7am 8	B
Tu	☽ ∠ ♃	4pm 0	b
	☿ △ ♂	4 3	
	☽ ⊻ ♂	7 9	g
	☽ □ ☿	7 22	B
	♀ ∠ ♆	8 1	
	☽ P ☉	9 14	G
	☽ □ ♇	11 59	B
21	☽ ✱ ☉	10am37	G
W	☽ ⚼ ♅	0pm27	b
	♀ ✱ ♃	3 21	
	☽ ⚼ ♆	3 40	b
	☽ ⊻ ♃	5 18	g
	☽ □ ♀	5 27	B
	♀ P ♆	6 47	
	☽ ∠ ♂	8 44	b
22	☽ P ♇	0am18	D
Th	☽ ∠ ☉	1pm 8	b
	☽ △ ♅	1 11	G
	☽ △ ♆	4 21	G
	☽ P ♃	7 18	G
	☽ P ♃	7 20	G
	☽ ✱ ♂	10 0	G
	☿ ☌ ♇	11 33	
23	☽ ✱ ♇	1am31	G
F	☽ ✱ ☿	1 43	G
	☽ ⚼ ♄	9 32	b
	☽ P ♇	2pm22	D
	☽ ⊻ ☉	3 26	g
	☽ ☌ ♃	7 9	G
	☽ ✱ ♀	11 2	G
24	♀ ⚼ ♂	1am 0	
S	☽ ∠ ♇	2 6	b
	☽ ∠ ☿	4 33	b
	☽ △ ♄	10 6	G
	☽ □ ♅	2pm21	B
	☽ □ ♆	5 30	B
	☽ P ☉	11 54	G
25	☽ □ ♂	0am26	B
Su	☽ ∠ ♀	1 55	b
	☽ ⊻ ♇	2 50	g
	☽ ⊻ ☿	7 34	g
	☉ Q ♅	4pm 2	
	☽ ☌ ☉	8 34	D
	☽ ⊻ ♃	9 23	g
26	♀ P ♂	0am55	
M	☿ P ♆	2 43	
	☽ ⊻ ♀	5 18	g
	☽ P ♄	9 40	B
	☉ ⊻ ♃	11 3	
	☽ □ ♄	0pm 9	B
	☽ ✱ ♅	4 36	G
	♀ ⊥ ♅	6 16	
	♀ P ♅	7 39	
	☽ ✱ ♆	7 51	G
	☽ ∠ ♃	11 14	b
27	☽ △ ♂	4am22	G
Tu	☽ ☌ ♇	5 42	D
	☉ Q ♆	2pm29	
	☽ ● ☿	3 23	G
	☽ P ♆	3 23	D
	♂ Q ♃	5 16	
	☽ ∠ ♅	6 42	b
	☽ ∠ ♆	10 1	b
	☽ P ☿	11 41	G
28	☽ ✱ ♃	1am53	G
W	☽ ⊻ ☉	4 22	g
	☽ ⚼ ♂	7 28	b
	☽ P ♂	7 59	B
	♀ ⊥ ♆	8 7	
	☽ P ♅	1pm49	B
	☽ ● ♀	2 44	G
	☽ ✱ ♄	4 52	G
	☽ ⊻ ♅	9 39	g
29	☽ ⊻ ♆	1am 4	g
Th	☿ ∠ ♅	8 17	
	☽ ∠ ☉	9 53	b
	☿ P ♂	11 32	
	☽ ⊻ ♇	11 42	g
	♀ ✱ ♄	2pm31	
	☿ Q ♄	4 32	
	♂ △ ♇	6 2	
	☽ P ♅	6 39	B
	☽ ∠ ♄	8 36	b
	☽ P ☿	10 14	G
30	☽ P ♂	1am22	B
F	☽ ⊻ ☿	3 9	g
	☿ P ♅	9 38	
	☽ □ ♃	10 2	B
	☽ ∠ ♇	4pm 8	b
	☽ ✱ ☉	4 37	G
	☽ P ♆	6 31	D
31	☽ ⊻ ♄	1am18	g
S	☿ ∠ ♆	2 52	
	☽ ⊻ ♀	5 0	g
	☽ ☌ ♅	6 27	B
	☽ ☌ ♆	10 2	D
	☽ ∠ ☿	10 40	b
	☉ ⊥ ♀	5pm54	
	♀ ⊻ ♅	8 5	
	☽ ✱ ♇	9 27	G
	☽ ☍ ♂	10 39	B
NOVEMBER			
1	☽ P ♄	4am26	B
Su	☽ ∠ ♀	1pm52	b
	☽ ✱ ☿	6 59	G
	☽ △ ♃	9 51	G
2	☽ P ☉	3am58	G
M	♀ ⊻ ♆	8 48	
	☽ □ ☉	9 11	B
	♀ Q ♃	11 43	
	☽ ☌ ♄	0pm58	B
	☽ ⊻ ♅	6 20	g
	☽ ⊻ ♆	9 58	g
	☉ ⊥ ♃	10 34	
	☽ ✱ ♀	11 26	G
3	☽ ⚼ ♃	4am35	b
Tu	♀ ± ♂	6 15	
	☽ □ ♇	9 50	B
	☿ ✱ ♃	8pm33	
4	☽ ∠ ♅	0am46	b
W	☽ ∠ ♆	4 23	b
	☉ □ ♄	7 20	
	☽ □ ☿	0pm14	B
	☽ P ♇	1 13	D
	☽ ⚼ ♂	7 29	b
5	☽ ⊻ ♄	1am45	g
Th	☽ △ ☉	3 23	G
	☽ ✱ ♅	7 7	G
	☽ P ♃	8 8	G
	☽ ✱ ♆	10 39	G
	☽ □ ♀	6pm47	B
	☽ P ♃	6 55	G
	☽ △ ♇	10 27	G
6	☽ △ ♂	2am13	G
F	☽ ∠ ♄	7 47	b
	☽ ⚼ ☉	0pm 0	b
	☽ P ♇	1 33	D
7	☽ ☍ ♃	0am14	B
S	☉ ✱ ♅	1 21	
	☽ △ ☿	3 25	G
	☽ ⚼ ♇	4 9	b
	♀ ⊻ ♇	8 34	
	☽ ✱ ♄	1pm18	G
	☽ □ ♅	6 29	B
	☽ □ ♆	9 49	B
8	☽ ⚼ ☿	9am33	b
Su	☽ △ ♀	11 47	G
	☽ □ ♂	1pm52	B
	☉ ✱ ♆	7 45	
9	☽ P ☉	10am20	G
M	♀ ⚻ ♂	2pm22	
	☽ P ♄	6 0	B
	☽ ⚼ ♀	7 0	b
	☽ □ ♄	10 26	B
10	☽ △ ♅	3am22	G
Tu	☽ △ ♆	6 30	G
	☽ ☍ ☉	9 20	B
	☽ ⚼ ♃	2pm49	b
	☽ ☍ ♇	5 31	B
	☽ ✱ ♂	10 46	G
11	☽ P ♆	2am35	D
W	☽ ⚼ ♅	6 55	b
	♀ ∠ ♄	8 59	
	☿ Stat.	9 50	
	☽ ⚼ ♆	9 57	b
	☽ P ♂	4pm58	B
	☽ △ ♃	6 27	G
	☽ ☍ ☿	9 55	B
12	☽ P ♅	0am53	B
Th	☽ ∠ ♂	2 18	b
	☽ △ ♄	5 13	G
	♀ ⊥ ♇	0pm12	
13	☽ P ♅	5am 4	B
F	☽ ⊻ ♂	5 20	g
	☉ P ♄	6 19	
	☽ ⚼ ♄	7 54	b
	☽ ☍ ♀	0pm16	B
	☽ P ♂	0 36	B
	☉ ∠ ♃	11 12	
14	☽ □ ♃	0am18	B
S	☽ ⚼ ☉	0 22	b
	☽ ⚼ ♇	2 1	b
	☽ P ♆	2 41	D
	☽ ☍ ♅	2pm49	B
	☽ ☍ ♆	5 38	B
	☉ ☌ ♇	11 46	
15	☽ ⚼ ☿	3am 5	b
Su	☽ △ ♇	4 7	G
	☽ △ ☉	4 27	G
	☿ P ♅	4 45	
	☽ P ☉	6 2	G
	☿ ✱ ♃	9 45	
	☽ P ♄	9 45	B
	☽ ☌ ♂	10 15	B
	☿ P ♂	11pm35	
16	☽ △ ☿	3am37	G
M	☽ ✱ ♃	4 47	G
	☽ ☍ ♄	2pm 1	B
17	☽ ⚼ ♀	1am12	b
Tu	☽ ∠ ♃	6 39	b
	☽ □ ♇	7 33	B
	☽ □ ☉	11 39	B
	☽ ⊻ ♂	2pm 0	g
	☿ ⊻ ♀	6 21	
	☽ ⚼ ♅	8 1	b
	☽ ⚼ ♆	10 40	b
18	☽ □ ☿	3am23	B
W	☿ P ♆	3 33	
	☽ P ♇	4 33	D
	☽ △ ♀	4 57	G
	☽ ⊻ ♃	8 20	g
	☽ ∠ ♂	3pm36	b
	☽ P ♃	5 2	G
	☽ △ ♅	9 24	G
19	☽ △ ♆	0am 1	G
Th	☉ △ ♂	1 35	
	♀ ⊥ ♄	4 38	
	☽ P ♃	10 16	G
	☽ ✱ ♇	10 20	G
	☽ ✱ ♂	5pm 5	G
	☽ ✱ ☉	6 7	G
	☽ ⚼ ♄	6 23	b
	☽ P ♇	10 37	D
20	☽ ✱ ☿	1am59	G
F	♀ □ ♃	3 25	
	♀ ∠ ♇	6 25	
	☿ ⊥ ♀	6 34	
	☿ ∠ ♆	9 0	
	☽ ☌ ♃	11 31	G
	☽ ∠ ♇	11 41	b
	☽ □ ♀	0pm 9	B
	☽ △ ♄	7 47	G
	☽ ∠ ☉	9 22	b
21	☽ □ ♅	0am 9	B
S	☽ ∠ ☿	1 9	b
	☽ □ ♆	2 42	B
	☿ Q ♄	3 47	
	☉ P ☿	3 56	
	♃ ∠ ♇	5 50	
	☿ ∠ ♅	11 13	
	☽ ⊻ ♇	1pm 9	g
	☽ □ ♂	8 13	B
	☉ ☌ ☿	10 9	
22	☽ ⊻ ☿	0am24	g
Su	☽ ⊻ ☉	0 49	g
	☉ ∠ ♅	2pm 8	
	☽ ⊻ ♃	3 12	g
	☽ P ♄	4 32	B
	☽ ✱ ♀	8 1	G
	☽ P ☿	11 10	G
	☽ □ ♄	11 15	B
23	☉ Q ♄	1am38	
M	☽ ✱ ♅	3 40	G
	☽ ✱ ♆	6 14	G
	☽ P ☉	11 59	G

	☽☌♇	5pm 3	D		☽⚼♃	10 41	b	9	☽P☉	5am21	G		☽⚼♄	3 21	b		☽∠♇	1 49	b
	☽∠♃	5 37	b		DECEMBER			W	☽P♅	5 24	B		☽P♇	4 50	D		♀P♄	3 52	
	☿△♂	5 49							☉P♅	5 54			☽⚹☿	3pm 1	G		☽□♃	8 25	B
	☿∠♀	7 49		1	☿ Stat.	7am31			☉⊻♆	8 45			☽∠♇	7 10	b		☿±♂	10 10	
	☽☌☿	11 55	G	Tu	☽∠♅	11 20	b		☿△♂	10 49			☽△♀	9 49	G	25	☽⊻♄	1am50	g
24	☽P♆	0am25	D		☽∠♆	2pm 1	b		☽△♃	11 3	G	18	☽☌♃	0am11	G	F	☿⊻♅	2 16	
Tu	☽△♂	0 31	G		☉⚹♃	6 20			☽∠♂	0pm38	b	F	☽△♄	5 14	G		☽☌♅	4 58	B
	☽∠♀	0 43	b		☽P♇	7 23	D		☽△♄	4 48	G		☽□♅	8 30	B		☽⊻☿	5 19	g
	☉∠♆	2 17			☉⊥♅	10 11			☽⚼♀	8 25	b		☽□♆	10 12	B		☽☌♆	6 35	D
	☽∠♅	6 6	b		☽∠☿	11 37	b		☽☍☉	11 41	B		☽∠☿	7pm42	b		☽⊻♀	8 43	g
	☽∠♆	8 41	b	2	☿⚹♀	4am26		10	☿P♄	10am11			☽⊻♇	9 9	g		☽☍♂	3pm36	B
	☽☌☉	9 11	D	W	☽□☉	6 17	B	Th	☽P☉	1pm14	G		☽□♂	10 21	B		☿⊻♆	4 19	
	♀⊻♄	11 25			☽P♃	6 40	G		☽⊻♂	2 24	g	19	☽⚹☉	2am53	G		☽⚹♇	6 48	G
	☿P♄	4pm26			☽⚼♂	10 45	b		☽P♅	4 25	B	S	♀△♃	5 32		26	☽P♄	4am43	B
	☽P♂	7 50	B		☽⊻♄	1pm 1	g		☽⚼♄	6 56	b		☿⚼♂	6pm 7		S	☿P♅	6 6	
	☽⚹♃	8 36	G		☽⚹♅	5 47	G	11	☽P♀	9am54	G		☽P♄	7 4	B		☽P♀	9 12	G
	☽P♅	9 17	B		☽⚹♆	8 24	G	F	☽P♆	10 43	D	20	☽⊻☿	0am58	g		☽∠☿	2pm31	b
25	☽⚼♂	3am28	b	3	☉⊥♆	6am 7			☽⚼♇	11 16	b	Su	☽⊻♃	5 1	g		☽⊻☉	3 50	g
W	☽⚹♄	4 36	G	Th	☽△☿	6 53	G		☽□♃	3pm14	B		☽P♀	5 39	G	27	☽△♃	7am31	G
	☽⊻♀	6 13	g		♀⚹♇	7 18			☿P♆	4 2			☽□♀	6 59	B	Su	☽☌♄	1pm 9	B
	☽⊻♅	9 10	g		☽△♇	9 1	G		☽⚼☿	8 39	b		☽∠☉	7 26	b		☽⊻♅	4 12	g
	☽⊻♆	11 47	g		☽⚹♀	9 12	G	12	☽☍♅	0am 9	B		☽□♄	10 8	B		☽⊻♆	5 45	g
	☽⊻♇	11pm11	g		☽P♃	0pm 2	G	S	☽☍♆	2 1	B		☽⚹♅	1pm21	G		♀⊼♂	7 41	
26	☽⊻☿	1am54	g		☽△♂	4 46	G		☉±♂	4 32			☽⚹♆	3 1	G	28	☽∠☉	0am25	b
Th	♂P♅	3 58			☽∠♄	7 20	b		☽△♇	0pm38	G		☿⊥♅	5 49		M	☽⚹☿	0 32	G
	☽P♂	5 14	B		☽P♇	10 55	D		☽P☿	2 20	G	21	♂△♇	1am26			☽☌♀	1 57	G
	☽P♅	5 18	B	4	☉⚼♂	7am51			☽☌♂	4 37	B	M	☽△♂	2 19	G		☿⊼♂	4 58	
	☽∠♄	8 20	b	F	☽⚼☿	1pm49	b		☽P♄	7 33	B		☽☌♇	2 20	D		☽□♇	6 22	B
	♀☌♅	4pm10			☽⚼♇	2 56	b	13	☽△☿	0am 6	G		☽P☿	3 9	G		☉P☿	1pm38	
	☽⊻☉	8 46	g		☽☍♃	6 9	B	Su	☽☍♀	7 44	B		☽P♆	6 33	D		☽⚼♃	1 48	b
	☿∠♃	8 58			♀P♂	7 33			☽⚼☉	9 55	b		☽∠♃	8 5	b		☽∠♅	10 29	b
27	☽P♆	3am13	D		☽△☉	11 40	G		☿∠♅	4pm25			☿⊥♆	9 59		29	☽∠♆	0am 1	b
F	☽∠♇	3 23	b	5	☽⚹♄	1am10	G		☽⚹♃	6 3	G		☽⊻☉	0pm32	g	Tu	☽P♇	2 45	D
	☽∠☿	4 15	b	S	☽□♅	5 39	B		♀Q♇	8 56			☽∠♅	4 27	b		♀⊥♅	3 49	
	☽□♃	4 49	B		☽□♆	8 5	B		☽☍♄	11 11	B		☽∠♆	6 6	b		☽⚼♂	6 31	b
	☽P☉	8 46	G		☿☌♇	3pm17		14	☿Q♄	0 20			☿⚹♃	6 50			☽P♃	8 28	G
	☽⊻♄	0pm51	g		☉⚹♄	7 4		M	☽△☉	0 53	G		☉⊥♇	9 15			☽⚹☉	9 29	G
	☽☌♅	5 36	B	6	☽□♀	2am21	B		☿∠♆	1 43			☉∠♄	10 36			☿⚹♀	6pm34	
	☿☌♇	6 30		Su	☽□♂	3 4	B		☽□♇	2 56	B		♀☌♄	11 9			♀⊥♆	8 21	
	☽☌♀	8 11	G		☽⚼☉	7 11	b		☽⊻♂	6 3	g	22	☽P♅	0am41	B	30	☿⊻♇	0am12	
	☽☌♆	8 17	D		♀☍♂	9 30			☽∠♃	7 20	b	Tu	☿P♆	2 2		W	☽⊻♄	2 8	g
	♀☌♆	9 16			☽P☿	3pm 4	G	15	☽⚼♅	3am46	b		☉∠♀	3 12			♀□♇	2 9	
28	☽∠☉	4am 3	b		☽P♄	11 12	B	Tu	☽⚼♆	5 31	b		☽⚼♂	4 54	b		☽⚹♅	4 59	G
S	☽⚹☿	7 40	G		♀P♅	11 26			☽□☿	7 1	B		☽⚹♃	11 38	G		☽⚹♆	6 28	G
	☽⚹♇	8 22	G	7	☽□♄	10am35	B		☽P♇	8 47	D		☽☌☿	1pm32	G		☽△♂	11 56	G
	☽P♄	3pm11	B	M	☽△♅	2pm42	G		☉Q♃	11 10			☽⚹♄	4 52	G		☿Q♃	1pm14	
	☽☍♂	4 38	B		☉P♀	4 18			☽P♃	3pm35	G		☽⚹♀	6 26	G		☽△♇	7 9	G
	♂ Stat.	11 30			☽△♆	4 55	G		☉⊻♇	6 46			☽⊻♅	8 3	g		☽⊻♀	8 52	g
29	☽P☿	3am 3	G	8	☉⊻♅	3am47			☽∠♂	6 49	b		☽⊻♆	9 42	g		☽□☿	9 51	B
Su	☽⚹☉	0pm15	G	Tu	☽☍♇	4 24	B		☽⊻♃	8 43	g	23	☽⊻♇	9am26	g	31	☉∠♇	0am11	
	☽△♃	4 9	G		☿∠♃	7 53		16	☽△♅	5am 6	G	W	♀⊻♅	1pm46		Th	☽P♃	2 36	G
30	☽☌♄	0am 7	B		☽⚼♃	8 2	b	W	☽△♆	6 49	G		☽P♅	6 20	B		☽P♇	8 3	D
M	☉P♆	0 23			☽☍☿	8 3	B		☽⚹♇	5pm31	G		☽∠♄	9 3	b		☽∠♄	8 42	b
	☽⊻♅	4 58	g		☽P♆	10 10	D		☽⚼♀	5 54	b		☿⚹♄	9 36			☉⊥♄	5pm49	
	☽⊻♆	7 40	g		☽⚹♂	10 13	G		☽□☉	7 13	B	24	☽ ●	0am43	D		♀±♂	7 49	
	♂Q♃	8 41			☽△♀	3pm24	G		☽⚹♂	7 44	G	Th	☽∠♀	1 12	b				
	☽⊻♀	1pm57	g		☽⚼♅	6 1	b		☽P♃	10 9	G		☽P☿	4 32	G				
	☽□☿	5 42	B		☽⚼♆	8 7	b	17	☉⊼♂	1am10			♀⊻♆	8 37					
	☽□♇	8 15	B		☽P♀	8 35	G	Th	☿P♀	2 45			☽P♆	1pm 8	D				

NOTE. — To obtain Local Mean Time of aspect, *add* the time equivalent of the Longitude if *East* and *subtract* if *West*.

G.M.T. AND EPHEMERIS TIME

The tabulations and times in this Ephemeris are in G.M.T.

From 1960 to 1982 the tabulations were in Ephemeris Time (E.T.), but it should be pointed out that the maximum correction to phenomena or aspects using E.T. as compared with G.M.T. did not exceed 53 seconds and that any correction should be considered as negligible in normal use.

DISTANCES APART OF ALL ☌s AND ☍s IN 1992

NOTE: The Distances Apart are in Declination.

JANUARY

1	☽ ☌ ♀	*9am16*	5	20
3	☽ ☌ ☿	*0am 7*	2	55
3	☽ ● ♂	*10am15*	0	49
4	☽ ● ☉	*11pm10*	0	22
4	☽ ● ♅	*11pm17*	0	44
5	☉ ☌ ♅	*0am45*	0	22
5	☽ ● ♆	*4am17*	0	8
6	☽ ☌ ♄	*9pm16*	2	53
7	☉ ☌ ♆	*0pm36*	0	44
10	☽ ☍ ♃	*1am49*	5	32
10	☿ ☌ ♂	*7pm33*	0	39
15	☽ ☍ ♇	*8am59*	17	57
17	☽ ☍ ♀	*7am37*	3	18
18	☽ ☍ ♂	*10am11*	0	21
18	☽ ☍ ☿	*7pm46*	1	8
18	☽ ☍ ♅	*10pm56*	0	49
19	☽ ☍ ♆	*2am20*	0	5
19	☽ ☍ ☉	*9pm28*	1	42
20	☿ ☌ ♅	*4am39*	0	38
20	☽ ☍ ♄	*11am41*	3	0
21	☿ ☌ ♆	*2pm52*	1	52
22	☽ ☌ ♃	*8pm41*	5	32
27	☽ ☌ ♇	*11pm13*	18	0
29	☉ ☌ ♄	*9pm33*	0	35
29	♂ ☌ ♅	*10pm58*	0	23
31	☽ ● ♀	*5pm 4*	1	1

FEBRUARY

1	☽ ● ♅	*8am38*	0	54
1	☽ ☌ ♂	*0pm18*	1	28
1	☽ ● ♆	*0pm27*	0	2
1	♂ ☌ ♆	*2pm57*	1	30
3	☽ ☌ ☿	*4am30*	4	15
3	☽ ☌ ♄	*10am 1*	3	7
3	☽ ☌ ☉	*7pm 0*	2	50
4	☿ ☌ ♄	*9pm53*	1	22
6	☽ ☍ ♃	*3am47*	5	30
7	♀ ☌ ♅	*4am29*	0	54
8	♀ ☌ ♆	*3pm45*	0	17
11	☽ ☍ ♇	*5pm31*	18	0
12	☉ ☌ ☿	*8am43*	1	55
15	☽ ☍ ♅	*0pm10*	1	2
15	☽ ☍ ♆	*2pm46*	0	4
16	☽ ☍ ♀	*5am23*	1	30
16	☽ ☍ ♂	*7am59*	2	36
17	☽ ☍ ♄	*4am22*	3	16
18	☽ ☍ ☉	*8am 4*	3	42
18	☽ ☍ ☿	*4pm49*	5	30
19	☽ ☌ ♃	*3am13*	5	27
19	♀ ☌ ♂	*0pm22*	0	50
22	☿ ☍ ♃	*0am 6*	0	2
24	☽ ☌ ♇	*7am 4*	18	0
28	☽ ● ♅	*5pm46*	1	9
28	☽ ● ♆	*8pm36*	0	10
29	☉ ☍ ♃	*0am37*	1	16
29	♀ ☌ ♄	*0am48*	0	7

MARCH

1	☽ ☌ ♂	*4pm 3*	3	34
1	☽ ☌ ♄	*10pm55*	3	26
2	☽ ☌ ♀	*3am48*	3	32
4	☽ ☍ ♃	*3am20*	5	23
4	☽ ☌ ☉	*1pm22*	4	17
6	☽ ☌ ☿	*2am21*	3	36
6	♂ ☌ ♄	*5pm52*	0	24
9	☽ ☍ ♇	*11pm14*	17	58
13	☽ ☍ ♅	*10pm21*	1	20
14	☽ ☍ ♆	*0am21*	0	19

MARCH—*contd.*

15	☽ ☍ ♄	*6pm59*	3	37
16	☽ ☍ ♂	*5am21*	4	26
17	☽ ☍ ♀	*2am25*	5	1
17	☽ ☌ ♃	*8am19*	5	22
18	☽ ☍ ☉	*6pm18*	4	33
19	☽ ☍ ☿	*2pm51*	1	24
19	♀ ☍ ♃	*7pm57*	0	9
22	☽ ☌ ♇	*3pm49*	17	57
26	☉ ☌ ☿	*2pm55*	2	50
27	☽ ☌ ♅	*2am48*	1	29
27	☽ ● ♆	*4am57*	0	27
29	☽ ☌ ♄	*11am39*	3	49
30	☽ ☌ ♂	*8pm40*	5	6
31	☽ ☍ ♃	*4am24*	5	21

APRIL

1	☽ ☌ ♀	*1pm26*	5	50
2	☽ ☌ ☿	*4am57*	3	5
3	☽ ☌ ☉	*5am 1*	4	33
4	♂ ☍ ♃	*10am 9*	0	6
6	☽ ☍ ♇	*4am 7*	17	56
6	☿ ☌ ♀	*1pm12*	1	49
10	☽ ☍ ♅	*5am15*	1	39
10	☽ ☍ ♆	*6am55*	0	36
12	☽ ☍ ♄	*6am 4*	4	1
13	☽ ☌ ♃	*0pm38*	5	23
14	☽ ☍ ♂	*2am 6*	5	34
15	☽ ☍ ☿	*6am36*	5	59
16	☽ ☍ ♀	*0am13*	5	59
17	☽ ☍ ☉	*4am42*	4	17
19	☽ ☌ ♇	*0am26*	17	56
23	☽ ☌ ♅	*11am27*	1	46
23	☽ ● ♆	*1pm20*	0	42
25	☽ ☌ ♄	*11pm24*	4	12
27	☽ ☍ ♃	*9am37*	5	26
29	☽ ☌ ♂	*1am 5*	5	52
30	☽ ☌ ☿	*2pm34*	7	16

MAY

1	☽ ☌ ♀	*7pm31*	5	25
2	☽ ☌ ☉	*5pm44*	3	41
3	☽ ☍ ♇	*10am 7*	17	57
7	☽ ☍ ♅	*10am38*	1	52
7	☽ ☍ ♆	*0pm16*	0	48
9	☽ ☍ ♄	*1pm56*	4	21
10	☽ ☌ ♃	*6pm 3*	5	29
12	☉ ☍ ♇	*1am14*	14	46
12	☽ ☍ ♂	*10pm20*	5	58
15	☽ ☍ ☿	*5am38*	5	54
16	☽ ☍ ♀	*0am51*	4	18
16	☽ ☌ ♇	*7am41*	17	57
16	☽ ☍ ☉	*4pm 3*	2	54
19	♀ ☍ ♇	*0am53*	13	58
20	☽ ☌ ♅	*7pm 1*	1	55
20	☽ ● ♆	*9pm 5*	0	51
22	☿ ☍ ♇	*5pm 6*	13	50
23	☽ ☌ ♄	*9am 6*	4	29
24	☽ ☍ ♃	*7pm28*	5	32
27	☿ ☌ ♀	*11pm50*	0	28
28	☽ ☌ ♂	*4am10*	5	51
30	☽ ☍ ♇	*5pm49*	17	57
31	☉ ☌ ☿	*4pm21*	0	37
31	☽ ☌ ♀	*9pm37*	2	25

JUNE

1	☽ ☌ ☉	*3am57*	1	46
1	☽ ● ☿	*5am 9*	1	0
3	☽ ☍ ♅	*4pm37*	1	55

JUNE—*contd.*

3	☽ ☍ ♆	*6pm32*	0	51
5	☽ ☍ ♄	*8pm 8*	4	33
7	☽ ☌ ♃	*2am40*	5	35
10	☽ ☍ ♂	*6pm16*	5	35
12	☽ ☌ ♇	*1pm16*	17	55
13	☉ ☌ ♀	*4pm30*	0	9
15	☽ ● ☉	*4am50*	0	35
15	☽ ☍ ♀	*5am43*	0	19
16	☽ ☍ ☿	*6pm17*	3	10
17	☽ ☌ ♅	*1am 1*	1	53
17	☽ ● ♆	*3am37*	0	50
18	☿ ☍ ♅	*3pm49*	1	32
19	☿ ☍ ♆	*10am20*	2	40
19	☽ ☌ ♄	*3pm53*	4	35
21	☽ ☍ ♃	*8am52*	5	36
26	☽ ☌ ♂	*5am 0*	5	3
27	☽ ☍ ♇	*2am31*	17	51
30	☽ ● ☉	*0pm18*	0	45
30	☽ ☌ ♀	*8pm28*	2	0

JULY

1	☽ ☍ ♅	*0am13*	1	51
1	☽ ☍ ♆	*2am38*	0	48
2	☽ ☌ ☿	*8am36*	3	31
2	♀ ☍ ♅	*4pm34*	0	25
3	☽ ☍ ♄	*2am23*	4	35
3	♀ ☍ ♆	*9pm30*	1	38
4	☽ ☌ ♃	*3pm29*	5	37
7	☉ ☍ ♅	*10pm38*	0	26
9	☉ ☍ ♆	*1pm26*	0	45
9	☽ ☍ ♂	*1pm51*	4	26
9	☽ ☌ ♇	*6pm 0*	17	45
12	♂ ☍ ♇	*4pm54*	13	28
14	☽ ☌ ♅	*5am32*	1	47
14	☽ ● ♆	*8am51*	0	46
14	☽ ☍ ☉	*7pm 6*	1	56
15	☽ ☍ ♀	*2pm18*	3	51
15	☿ ☍ ♄	*7pm 9*	3	7
16	☽ ☌ ♄	*7pm46*	4	32
16	☽ ☍ ☿	*8pm32*	1	12
19	☽ ☍ ♃	*0am28*	5	37
24	☽ ☍ ♇	*11am 4*	17	35
25	☽ ☌ ♂	*2am42*	3	31
25	☿ ☍ ♄	*10pm49*	5	12
26	☿ ☌ ♀	*3pm41*	5	41
26	♀ ☍ ♄	*9pm 8*	0	23
28	☽ ☍ ♅	*9am 2*	1	46
28	☽ ☍ ♆	*0pm 0*	0	45
29	☽ ☌ ☉	*7pm35*	3	0
30	☽ ● ☿	*5am57*	1	18
30	☽ ☍ ♄	*9am30*	4	30
30	☽ ☌ ♀	*5pm22*	5	10

AUGUST

1	☽ ☌ ♃	*8am14*	5	36
2	☉ ☌ ☿	*8pm43*	4	43
5	☽ ☌ ♇	*11am36*	17	24
7	☽ ☍ ♂	*8am42*	2	36
7	☉ ☍ ♄	*9am53*	0	58
10	☽ ☌ ♅	*9am28*	1	45
10	☽ ● ♆	*1pm26*	0	45
12	☽ ☍ ☿	*4am17*	0	14
12	☽ ☌ ♄	*9pm55*	4	27
13	☽ ☍ ☉	*10am27*	3	47
15	☽ ☍ ♀	*0am 4*	5	46
15	☽ ☍ ♃	*5pm19*	5	35
20	☽ ☍ ♇	*6pm39*	17	9
22	☽ ☌ ♂	*8pm24*	1	25
23	♀ ☌ ♃	*5am43*	0	14

AUGUST-*contd.*

24	☿ ☍ ♄	*3pm49*	0	52
24	☽ ☍ ♅	*5pm47*	1	48
24	☽ ☍ ♆	*9pm14*	0	49
26	☿ ☍ ♄	*5pm10*	4	26
26	☽ ☌ ☿	*10pm32*	4	13
28	☽ ☌ ☉	*2am42*	4	19
29	☽ ☌ ♃	*3am39*	5	34
29	☽ ☌ ♀	*2pm 4*	5	43

SEPTEMBER

2	☽ ☌ ♇	*7am28*	16	56
5	☽ ☍ ♂	*1am55*	0	23
6	☽ ☌ ♅	*2pm12*	1	51
6	☽ ● ♆	*6pm30*	0	53
9	☽ ☌ ♄	*0am19*	4	26
11	☽ ☍ ☿	*7pm41*	6	8
12	☽ ☍ ☉	*2am17*	4	34
12	☽ ☍ ♃	*11am 1*	5	33
14	☽ ☍ ♀	*8am 3*	4	56
15	☉ ☌ ☿	*3am48*	1	27
16	☿ ☌ ♃	*8am58*	0	24
17	☽ ☍ ♇	*1am26*	16	40
17	☉ ☌ ♃	*6pm31*	0	59
20	☽ ● ♂	*8am55*	0	52
21	☽ ☍ ♅	*1am23*	1	59
21	☽ ☍ ♆	*5am 3*	1	1
23	☽ ☍ ♄	*0pm30*	4	30
25	☽ ☌ ♃	*11pm57*	5	34
26	☽ ☌ ☉	*10pm40*	4	33
27	☽ ☌ ☿	*2am48*	4	50
28	☽ ☌ ♀	*0pm39*	3	42
29	☽ ☌ ♇	*5am52*	16	29

OCTOBER

3	☽ ☍ ♂	*3pm43*	1	52
3	☽ ☌ ♅	*9pm 4*	2	6
4	☽ ● ♆	*1am14*	1	8
6	☽ ☌ ♄	*4am57*	4	34
9	♂ ☍ ♅	*0pm 4*	0	9
10	☽ ☍ ♃	*5am28*	5	35
11	☽ ☍ ☉	*6pm 3*	4	13
12	♀ ☌ ♇	*7pm51*	14	22
13	☽ ☍ ☿	*8am29*	2	2
14	♂ ☍ ♆	*4am43*	1	24
14	☽ ☍ ♇	*8am38*	16	18
14	☽ ☍ ♀	*0pm21*	1	42
18	☽ ☍ ♅	*7am53*	2	15
18	☽ ☍ ♆	*11am20*	1	18
18	☽ ☌ ♂	*2pm29*	2	58
20	☽ ☍ ♄	*7am 8*	4	41
22	☿ ☌ ♇	*11pm33*	15	58
23	☽ ☌ ♃	*7pm 9*	5	37
25	☽ ☌ ☉	*8pm34*	3	40
27	☽ ☌ ♇	*5am42*	16	11
27	☽ ● ☿	*3pm23*	0	31
28	☽ ● ♀	*2pm44*	0	23
31	☽ ☌ ♅	*6am27*	2	22
31	☽ ☌ ♆	*10am 2*	1	25
31	☽ ☍ ♂	*10pm39*	3	52

NOVEMBER

2	☽ ☌ ♄	*0pm58*	4	47
7	☽ ☍ ♃	*0am14*	5	39
10	☽ ☍ ☉	*9am20*	2	46
10	☽ ☍ ♇	*5pm31*	16	6
11	☽ ☍ ☿	*9pm55*	0	58
13	☽ ☍ ♀	*0pm16*	2	47
14	☽ ☍ ♅	*2pm49*	2	29

DISTANCES APART OF ALL ☌s AND ☍s IN 1992

NOTE: The Distances Apart are in Declination.

NOVEMBER—*contd.*

Date	Aspect	Time	°	′
4	☽ ☍ ♆	5pm38	1	31
4	☉ ☌ ♇	11pm46	13	39
5	☽ ☌ ♂	10am15	4	45
6	☽ ☍ ♄	2pm 1	4	53
0	☽ ☌ ♃	11am31	5	41
1	☉ ☌ ☿	10pm 9	0	38
3	☽ ☌ ♇	5pm 3	16	4
3	☽ ☌ ☿	11pm55	3	23
4	☽ ☌ ☉	9am11	1	42

NOVEMBER—*contd.*

Date	Aspect	Time	°	′
26	♀ ☌ ♅	4pm10	1	53
27	☽ ☌ ♅	5pm36	2	34
27	☿ ☌ ♇	6pm30	11	32
27	☽ ☌ ♀	8pm11	4	34
27	☽ ☌ ♆	8pm17	1	35
27	♀ ☌ ♆	9pm16	2	58
28	☽ ☍ ♂	4pm38	5	27
30	☽ ☌ ♄	0am 7	4	58

DECEMBER

Date	Aspect	Time	°	′
4	☽ ☍ ♃	6pm 9	5	42
5	☿ ☌ ♇	3pm17	11	10
6	♀ ☍ ♂	9am30	0	28
8	☽ ☍ ♇	4am24	16	4
8	☽ ☍ ☿	8am 3	4	35
9	☽ ●–● ☉	11pm41	0	18
12	☽ ☍ ♅	0am 9	2	38
12	☽ ☍ ♆	2am 1	1	38
12	☽ ☌ ♂	4pm37	6	1
13	☽ ☍ ♀	7am44	5	45
13	☽ ☍ ♄	11pm11	5	1

DECEMBER—*contd.*

Date	Aspect	Time	°	′
18	☽ ☌ ♃	0am11	5	42
21	☽ ☌ ♇	2am20	16	5
21	♀ ☌ ♄	11pm 9	0	58
22	☽ ☌ ☿	1pm32	1	27
24	☽ ● ☉	0am43	1	0
25	☽ ☌ ♅	4am58	2	41
25	☽ ☌ ♆	6am35	1	40
25	☽ ☍ ♂	3pm36	6	19
27	☽ ☌ ♄	1pm 9	5	4
28	☽ ☌ ♀	1am57	6	1

TIME WHEN THE SUN, MOON AND PLANETS ENTER THE ZODIACAL SIGNS IN 1992

JANUARY

Date	Body/Sign	Time
1	☽ ♐	7am31
3	☽ ♑	7pm 9
6	☽ ♒	7am59
8	☽ ♓	8pm52
9	♂ ♑	9am47
10	☿ ♑	1am46
11	☽ ♈	8am22
13	☽ ♉	4pm59
15	☽ ♊	9pm54
17	☽ ♋	11pm26
19	☽ ♌	10pm57
20	☉ ♒	7pm33
21	☽ ♍	10pm22
23	☽ ♎	11pm42
25	♀ ♑	7am14
26	☽ ♏	4am33
28	☽ ♐	1pm20
29	☿ ♒	9pm15
31	☽ ♑	1am 7

FEBRUARY

Date	Body/Sign	Time
2	☽ ♒	2pm 9
5	☽ ♓	2am50
7	☽ ♈	2pm15
9	☽ ♉	11pm36
12	☽ ♊	6am 7
14	☽ ♋	9am30
16	☿ ♓	7am 4
16	☽ ♌	10am15
18	♂ ♒	4am38
18	☽ ♍	9am47
18	♀ ♒	4pm40
19	☉ ♓	9am44
20	☽ ♎	10am 5
22	☽ ♏	1pm12
24	☽ ♐	8pm27
27	☽ ♑	7am34
29	☽ ♒	8pm34

MARCH

Date	Body/Sign	Time
3	☽ ♓	9am10
3	☿ ♈	9pm46
5	☽ ♈	8pm 6
8	☽ ♉	5am 4
10	☽ ♊	0pm 3
12	☽ ♋	4pm49
13	♀ ♓	11pm57
14	☽ ♌	7pm20
16	☽ ♍	8pm13
18	☽ ♎	8pm55
20	☉ ♈	8am48
20	☽ ♏	11pm20
23	☽ ♐	5am14
25	☽ ♑	3pm 9
28	♂ ♓	2am 4
28	☽ ♒	3am44
30	☽ ♓	4pm23

APRIL

Date	Body/Sign	Time
2	☽ ♈	3am 3
3	☿ ♓	11pm52
4	☽ ♉	11am18
6	☽ ♓	5pm32
7	♀ ♈	7am16
8	☽ ♋	10pm18
11	☽ ♌	1am46
13	☽ ♍	4am 9
14	☿ ♈	5pm28
15	☽ ♎	6am11
17	☽ ♏	9am10
19	☽ ♐	2pm41
19	☉ ♉	7pm57
21	☽ ♑	11pm41
24	☽ ♒	11am38
27	☽ ♓	0am20
29	☽ ♈	11am13

MAY

Date	Body/Sign	Time
1	♀ ♉	3pm41
1	☽ ♉	7pm 8
4	☽ ♊	0am28
5	♂ ♈	9pm36
6	☽ ♋	4am 9
8	☽ ♌	7am 7
10	☽ ♍	9am56
11	☿ ♉	4am10
12	☽ ♎	1pm 5
14	☽ ♏	5pm16
16	☽ ♐	11pm22
19	☽ ♑	8am13
20	☉ ♊	7pm12
21	☽ ♒	7pm44
24	☽ ♓	8am25
26	♀ ♊	1am18
26	☽ ♈	7pm52
26	☿ ♊	9pm16
29	☽ ♉	4am15
31	☽ ♊	9am18

JUNE

Date	Body/Sign	Time
2	☽ ♋	11am58
4	☽ ♌	1pm35
6	☽ ♍	3pm28
8	☽ ♎	6pm34
9	☿ ♋	6pm27
10	☽ ♏	11pm27
13	☽ ♐	6am30
14	♂ ♉	3pm56
15	☽ ♑	3pm50
18	☽ ♒	3am19
19	♀ ♋	11am22
20	☽ ♓	4pm 0
21	☉ ♋	3am14
23	☽ ♈	4am 2
25	☽ ♉	1pm28
27	☿ ♌	5am12
27	☽ ♊	7pm13
29	☽ ♋	9pm41

JULY

Date	Body/Sign	Time
1	☽ ♌	10pm15
3	☽ ♍	10pm38
6	☽ ♎	0am27
8	☽ ♏	4am54
10	☽ ♐	0pm17
12	☽ ♑	10pm16
13	♀ ♌	9pm 7
15	☽ ♒	10am 3
17	☽ ♓	10pm44
20	☽ ♈	11am 7
22	☉ ♌	2pm 9
22	☽ ♉	9pm35
25	☽ ♊	14am43
26	♂ ♊	16pm59
27	☽ ♋	8am 7
29	☽ ♌	8am39
31	☽ ♍	8am 1

AUGUST

Date	Body/Sign	Time
2	☽ ♎	8am18
4	☽ ♏	11am16
6	☽ ♐	5pm58
7	♀ ♍	6am26
9	☽ ♑	4am 1
11	☽ ♒	4pm 7
14	☽ ♓	4am51
16	☽ ♈	5pm11
19	☽ ♉	4am 9
21	☽ ♊	0pm36
22	☉ ♍	9pm10
23	☽ ♋	5pm35
25	☽ ♌	7pm14
27	☽ ♍	6pm46
29	☽ ♎	6pm11
31	♀ ♎	4pm 9
31	☽ ♏	7pm40

SEPTEMBER

Date	Body/Sign	Time
3	☽ ♐	0am50
3	☿ ♍	8am 2
5	☽ ♑	10am 6
7	☽ ♒	10pm 8
10	☽ ♓	10am56
12	♂ ♋	6am 5
12	☽ ♈	11pm 2
15	☽ ♉	9am47
17	☽ ♊	6pm39
19	☿ ♎	5am41
20	☽ ♋	0am59
22	☽ ♌	4am18
22	☉ ♎	6pm43
24	☽ ♍	5am 8
25	♀ ♏	3am31
26	☽ ♎	4am56
28	☽ ♏	5am45
30	☽ ♐	9am34

OCTOBER

Date	Body/Sign	Time
2	☽ ♑	5pm30
5	☽ ♒	4am53
7	☿ ♏	10am13
7	☽ ♓	5pm37
10	☽ ♈	5am35
10	♃ ♎	1pm26
12	☽ ♉	3pm48
15	☽ ♊	0am 8
17	☽ ♋	6am35
19	☽ ♌	11am 1
19	♀ ♐	5pm47
21	☽ ♍	1pm27
23	☉ ♏	3am57
23	☽ ♎	2pm39
25	☽ ♏	4pm 5
27	☽ ♐	7pm30
29	☿ ♐	5pm 4
30	☽ ♑	2am19

NOVEMBER

Date	Body/Sign	Time
1	☽ ♒	0pm43
4	☽ ♓	1am12
6	☽ ♈	1pm19
8	☽ ♉	11pm19
11	☽ ♊	6am49
13	☽ ♋	0pm19
13	♀ ♑	0pm48
15	☽ ♌	4pm23
17	☽ ♍	7pm28
19	☽ ♎	10pm 3
21	☿ ♏	7pm44
22	☽ ♏	0am52
22	☉ ♐	1am26
24	☽ ♐	5am 2
26	☽ ♑	11am38
28	☽ ♒	9pm19

DECEMBER

Date	Body/Sign	Time
1	☽ ♓	9am23
3	☽ ♈	9pm48
6	☽ ♉	8am15
8	☽ ♊	3pm36
8	♀ ♒	5pm49
10	☽ ♋	8pm 5
12	☿ ♐	8am 3
12	☽ ♌	10pm47
15	☽ ♍	0am56
17	☽ ♎	3am33
19	☽ ♏	7am20
21	☽ ♐	0pm43
21	☉ ♑	2pm43
23	☽ ♑	8pm 5
26	☽ ♒	5am44
28	☽ ♓	5pm28
31	☽ ♈	6am 6

LOCAL MEAN TIME OF SUNRISE FOR LATITUDES
60° North to 50° South

FOR ALL SUNDAYS IN 1992. (ALL TIMES ARE A.M.)

Date	NORTHERN LATITUDES									SOUTHERN LATITUDES				
	LONDON	60°	55°	50°	40°	30°	20°	10°	0°	10°	20°	30°	40°	50°
1991	H M	H M	H M	H M	H M	H M	H M	H M	H M	H M	H M	H M	H M	H M
Dec. 29	8 6	9 4	8 26	7 59	7 21	6 55	6 34	6 15	5 58	5 41	5 22	5 0	4 32	3 52
1992														
Jan. 5	8 5	9 1	8 25	7 58	7 22	6 57	6 36	6 18	6 1	5 45	5 26	5 5	4 38	3 59
,, 12	8 3	8 54	8 20	7 56	7 22	6 57	6 38	6 20	6 4	5 49	5 31	5 11	4 45	4 8
,, 19	7 57	8 44	8 13	7 51	7 19	6 56	6 38	6 22	6 7	5 51	5 35	5 16	4 52	4 18
,, 26	7 49	8 30	8 4	7 43	7 15	6 54	6 37	6 23	6 9	5 55	5 40	5 22	5 0	4 29
Feb. 2	7 39	8 15	7 52	7 34	7 9	6 51	6 36	6 23	6 10	5 58	5 44	5 29	5 9	4 42
,, 9	7 28	7 58	7 38	7 24	7 2	6 46	6 33	6 21	6 11	6 0	5 48	5 35	5 17	4 53
,, 16	7 15	7 39	7 24	7 11	6 53	6 40	6 30	6 20	6 11	6 2	5 52	5 40	5 26	5 6
,, 23	7 1	7 20	7 8	6 58	6 44	6 34	6 25	6 18	6 10	6 3	5 55	5 46	5 34	5 19
Mar. 1	6 46	7 0	6 52	6 44	6 34	6 26	6 20	6 15	6 9	6 4	5 58	5 51	5 42	5 30
,, 8	6 31	6 39	6 34	6 30	6 23	6 19	6 15	6 11	6 8	6 4	6 0	5 56	5 50	5 42
,, 15	6 15	6 18	6 16	6 15	6 12	6 10	6 9	6 7	6 6	6 5	6 3	6 0	5 57	5 53
,, 22	5 59	5 57	5 58	5 59	6 1	6 2	6 3	6 3	6 4	6 4	6 4	6 4	6 4	6 4
,, 29	5 43	5 36	5 40	5 44	5 50	5 53	5 57	5 59	6 2	6 4	6 6	6 9	6 12	6 16
Apr. 5	5 28	5 14	5 22	5 29	5 38	5 45	5 51	5 55	5 59	6 3	6 8	6 13	6 19	6 27
,, 12	5 12	4 53	5 5	5 14	5 27	5 37	5 45	5 51	5 57	6 4	6 10	6 17	6 25	6 36
,, 19	5 57	4 33	4 48	5 0	5 17	5 29	5 39	5 48	5 56	6 4	6 12	6 21	6 33	6 48
,, 26	4 42	4 13	4 32	4 46	5 7	5 22	5 34	5 45	5 54	6 4	6 14	6 25	6 39	6 58
May 3	4 29	3 53	4 16	4 34	4 58	5 16	5 30	5 42	5 53	6 4	6 16	6 30	6 46	7 9
,, 10	4 17	3 35	4 2	4 22	4 50	5 10	5 26	5 40	5 53	6 6	6 19	6 34	6 53	7 19
,, 17	4 5	3 18	3 49	4 12	4 43	5 6	5 23	5 39	5 53	6 7	6 22	6 38	6 59	7 28
,, 24	3 56	3 3	3 38	4 3	4 38	5 2	5 21	5 38	5 53	6 9	6 25	6 43	7 6	7 38
,, 31	3 50	2 51	3 30	3 57	4 34	5 0	5 20	5 38	5 54	6 10	6 27	6 47	7 11	7 46
June 7	3 45	2 42	3 24	3 52	4 31	4 58	5 20	5 38	5 55	6 12	6 30	6 51	7 16	7 52
,, 14	3 42	2 36	3 20	3 50	4 30	4 58	5 20	5 39	5 56	6 14	6 32	6 53	7 20	7 57
,, 21	3 42	2 35	3 20	3 50	4 31	4 59	5 21	5 40	5 58	6 15	6 34	6 55	7 22	7 59
,, 28	3 45	2 39	3 23	3 53	4 33	5 1	5 23	5 42	5 59	6 16	6 35	6 56	7 22	7 59
July 5	3 50	2 46	3 28	3 57	4 37	5 4	5 25	5 44	6 1	6 18	6 36	6 57	7 22	7 59
,, 12	3 57	2 57	3 36	4 4	4 41	5 7	5 28	5 45	6 2	6 18	6 35	6 55	7 20	7 54
,, 19	4 4	3 10	3 46	4 11	4 46	5 11	5 30	5 47	6 2	6 18	6 34	6 53	7 16	7 48
,, 26	4 14	3 26	3 58	4 20	4 52	5 15	5 33	5 48	6 3	6 17	6 32	6 49	7 10	7 40
Aug. 2	4 24	3 42	4 10	4 30	4 59	5 19	5 35	5 50	6 3	6 16	6 29	6 45	7 4	7 30
,, 9	4 35	3 59	4 22	4 40	5 5	5 23	5 38	5 50	6 2	6 13	6 25	6 39	6 56	7 19
,, 16	4 46	4 16	4 36	4 50	5 12	5 28	5 40	5 51	6 1	6 11	6 21	6 33	6 47	7 7
,, 23	4 57	4 32	4 48	5 1	5 19	5 32	5 42	5 51	5 59	6 8	6 17	6 27	6 39	6 55
,, 30	5 9	4 49	5 2	5 11	5 25	5 36	5 44	5 51	5 57	6 3	6 10	6 18	6 27	6 39
Sep. 6	5 20	5 5	5 14	5 22	5 32	5 39	5 45	5 50	5 55	5 59	6 4	6 9	6 16	6 24
,, 13	5 31	5 22	5 28	5 32	5 38	5 43	5 47	5 50	5 53	5 56	5 58	6 1	6 5	6 9
,, 20	5 42	5 38	5 40	5 43	5 45	5 47	5 48	5 49	5 50	5 51	5 51	5 52	5 53	5 53
,, 27	5 54	5 55	5 54	5 53	5 52	5 51	5 50	5 49	5 48	5 47	5 45	5 43	5 41	5 38
Oct. 4	6 5	6 12	6 8	6 4	5 59	5 55	5 52	5 48	5 46	5 42	5 39	5 35	5 30	5 24
,, 11	6 16	6 28	6 21	6 15	6 6	5 59	5 53	5 48	5 44	5 39	5 34	5 28	5 20	5 10
,, 18	6 28	6 46	6 35	6 26	6 13	6 4	5 56	5 49	5 42	5 35	5 27	5 19	5 8	4 53
,, 25	6 41	7 3	6 48	6 38	6 21	6 8	5 58	5 49	5 41	5 32	5 23	5 12	4 59	4 40
Nov. 1	6 53	7 21	7 3	6 49	6 29	6 14	6 1	5 51	5 40	5 30	5 18	5 5	4 49	4 27
,, 8	7 5	7 39	7 18	7 1	6 37	6 19	6 5	5 52	5 40	5 28	5 15	5 0	4 41	4 15
,, 15	7 17	7 57	7 32	7 12	6 45	6 25	6 9	5 55	5 41	5 27	5 13	4 56	4 35	4 5
,, 22	7 29	8 14	7 45	7 23	6 53	6 31	6 13	5 58	5 43	5 28	5 12	4 53	4 30	3 57
,, 29	7 40	8 30	7 58	7 34	7 0	6 36	6 17	6 1	5 45	5 29	5 11	4 51	4 26	3 50
Dec. 6	7 50	8 44	8 8	7 43	7 7	6 42	6 22	6 4	5 47	5 31	5 13	4 52	4 25	3 46
,, 13	7 57	8 55	8 17	7 50	7 13	6 47	6 26	6 8	5 51	5 34	5 15	4 53	4 25	3 45
,, 20	8 2	9 2	8 22	7 55	7 18	6 51	6 30	6 11	5 54	5 36	5 17	4 55	4 27	3 46
,, 27	8 5	9 4	8 26	7 58	7 21	6 54	6 33	6 15	5 57	5 40	5 21	4 59	4 31	3 50
1993														
Jan. 3	8 6	9 2	8 25	7 59	7 22	6 56	6 36	6 18	6 1	5 44	5 25	5 4	4 36	3 57

Example:—To find the time of Sunrise in Jamaica (Latitude 18° N.) on Saturday, June 13th, 1992. On June 7th L.M.T. = 5h. 20m. + 2⁄10 × 18m., = 5h. 24m., on June 13th L.M.T. = 5h. 20m. + 2⁄10 × 19m. = 5h. 24m. therefore L.M.T. on June 14th = 5h. 24m. + 6⁄7 × 0m. = 5h. 24m. A.M.

LOCAL MEAN TIME OF SUNSET FOR LATITUDES
60° North to 50° South

FOR ALL SUNDAYS IN 1992. (ALL TIMES ARE P.M.)

Date	NORTHERN LATITUDES									SOUTHERN LATITUDES				
	LONDON	60°	55°	50°	40°	30°	20°	10°	0°	10°	20°	30°	40°	50°
1991	H M	H M	H M	H M	H M	H M	H M	H M	H M	H M	H M	H M	H M	H M
Dec. 29	3 58	3 0	3 38	4 5	4 42	5 9	5 30	5 48	6 6	6 23	6 42	7 4	7 32	8 12
1992														
Jan. 5	4 6	3 10	3 46	4 12	4 48	5 14	5 34	5 52	6 9	6 26	6 44	7 6	7 33	8 11
„ 12	4 14	3 23	3 56	4 21	4 55	5 19	5 39	5 56	6 12	6 28	6 46	7 6	7 32	8 9
„ 19	4 25	3 38	4 8	4 31	5 2	5 25	5 43	5 59	6 14	6 29	6 45	7 4	7 28	8 2
„ 26	4 37	3 56	4 22	4 42	5 11	5 31	5 48	6 2	6 16	6 30	6 45	7 2	7 24	7 55
Feb. 2	4 50	4 14	4 37	4 54	5 19	5 37	5 52	6 5	6 17	6 30	6 43	6 58	7 18	7 45
„ 9	5 2	4 32	4 52	5 6	5 27	5 43	5 56	6 7	6 18	6 28	6 40	6 53	7 10	7 34
„ 16	5 15	4 51	5 6	5 18	5 36	5 49	5 59	6 9	6 18	6 27	6 37	6 48	7 3	7 22
„ 23	5 28	5 9	5 21	5 30	5 44	5 54	6 2	6 10	6 17	6 24	6 32	6 41	6 52	7 7
Mar. 1	5 40	5 27	5 36	5 42	5 52	5 59	6 5	6 11	6 16	6 21	6 27	6 33	6 42	6 54
„ 8	5 53	5 44	5 49	5 53	5 59	6 4	6 7	6 11	6 14	6 18	6 21	6 26	6 32	6 39
„ 15	6 4	6 1	6 3	6 4	6 6	6 8	6 10	6 11	6 12	6 14	6 16	6 18	6 21	6 25
„ 22	6 16	6 19	6 17	6 16	6 14	6 13	6 12	6 11	6 10	6 10	6 10	6 10	6 10	6 10
„ 29	6 28	6 36	6 30	6 27	6 21	6 17	6 13	6 11	6 8	6 5	6 2	6 0	5 56	5 52
Apr. 5	6 39	6 53	6 44	6 37	6 28	6 21	6 15	6 11	6 6	6 1	5 57	5 52	5 45	5 37
„ 12	6 51	7 10	6 58	6 48	6 35	6 25	6 17	6 10	6 4	5 58	5 52	5 45	5 36	5 25
„ 19	7 3	7 27	7 12	6 59	6 42	6 29	6 19	6 11	6 3	5 55	5 47	5 37	5 26	5 11
„ 26	7 14	7 44	7 25	7 10	6 49	6 34	6 22	6 11	6 1	5 51	5 41	5 30	5 16	4 57
May 3	7 25	8 2	7 38	7 21	6 56	6 38	6 24	6 12	6 0	5 49	5 37	5 23	5 7	4 44
„ 10	7 37	8 19	7 52	7 31	7 3	6 43	6 27	6 13	6 0	5 47	5 33	5 18	4 59	4 32
„ 17	7 48	8 35	8 0	7 41	7 10	6 47	6 30	6 14	6 0	5 46	5 31	5 14	4 53	4 24
„ 24	7 58	8 50	8 16	7 51	7 16	6 52	6 32	6 16	6 0	5 45	5 29	5 10	4 48	4 16
„ 31	8 6	9 5	8 26	7 59	7 22	6 56	6 35	6 17	6 1	5 45	5 28	5 8	4 43	4 9
June 7	8 13	9 16	8 34	8 5	7 26	6 59	6 38	6 19	6 2	5 46	5 28	5 7	4 42	4 6
„ 14	8 18	9 24	8 40	8 10	7 30	7 2	6 40	6 21	6 4	5 47	5 28	5 7	4 41	4 4
„ 21	8 21	9 28	8 43	8 13	7 32	7 4	6 42	6 23	6 5	5 48	5 29	5 8	4 42	4 4
„ 28	8 21	9 27	8 43	8 13	7 33	7 5	6 43	6 24	6 7	5 49	5 31	5 9	4 43	4 6
July 5	8 18	9 22	8 40	8 11	7 32	7 5	6 43	6 25	6 8	5 51	5 33	5 13	4 47	4 11
„ 12	8 13	9 13	8 35	8 7	7 29	7 3	6 43	6 25	6 9	5 53	5 36	5 16	4 52	4 17
„ 19	8 7	9 1	8 26	8 0	7 25	7 1	6 42	6 25	6 10	5 54	5 38	5 19	4 56	4 24
„ 26	7 58	8 46	8 24	7 52	7 20	6 57	6 39	6 24	6 10	5 55	5 40	5 23	5 2	4 33
Aug. 2	7 47	8 29	8 2	7 42	7 13	6 53	6 36	6 22	6 9	5 57	5 44	5 28	5 9	4 43
„ 9	7 34	8 11	7 48	7 30	7 5	6 47	6 33	6 20	6 9	5 57	5 45	5 31	5 15	4 52
„ 16	7 21	7 51	7 32	7 17	6 56	6 40	6 28	6 17	6 7	5 58	5 48	5 36	5 22	5 3
„ 23	7 7	7 31	7 16	7 4	6 46	6 33	6 23	6 14	6 6	5 58	5 50	5 40	5 28	5 12
„ 30	6 52	7 11	6 58	6 49	6 35	6 25	6 17	6 10	6 4	5 57	5 51	5 43	5 34	5 22
Sep. 6	6 36	6 50	6 41	6 34	6 24	6 17	6 11	6 6	6 1	5 57	5 52	5 47	5 41	5 33
„ 13	6 20	6 28	6 23	6 19	6 13	6 8	6 5	6 2	5 59	5 57	5 54	5 52	5 48	5 44
„ 20	6 4	6 7	6 5	6 4	6 1	6 0	5 58	5 57	5 57	5 56	5 55	5 55	5 55	5 54
„ 27	5 48	5 46	5 47	5 48	5 50	5 51	5 52	5 53	5 54	5 56	5 57	5 59	6 2	6 5
Oct. 4	5 32	5 25	5 29	5 33	5 38	5 42	5 46	5 49	5 52	5 55	5 58	6 2	6 7	6 14
„ 11	5 17	5 4	5 12	5 18	5 27	5 34	5 40	5 45	5 50	5 55	6 1	6 7	6 15	6 26
„ 18	5 1	4 43	4 55	5 4	5 17	5 26	5 35	5 42	5 49	5 55	6 3	6 12	6 23	6 38
„ 25	4 47	4 24	4 38	4 50	5 7	5 19	5 30	5 39	5 48	5 57	6 6	6 17	6 31	6 50
Nov. 1	4 34	4 5	4 24	4 38	4 58	5 13	5 26	5 37	5 47	5 57	6 9	6 22	6 38	7 1
„ 8	4 22	3 47	4 10	4 26	4 51	5 8	5 23	5 35	5 47	5 59	6 12	6 27	6 46	7 12
„ 15	4 11	3 31	3 58	4 16	4 44	5 4	5 20	5 35	5 48	6 1	6 16	6 33	6 54	7 24
„ 22	4 2	3 17	3 47	4 9	4 39	5 1	5 19	5 35	5 50	6 5	6 21	6 40	7 3	7 37
„ 29	3 56	3 6	3 38	4 3	4 36	5 0	5 19	5 36	5 52	6 8	6 25	6 45	7 10	7 46
Dec. 6	3 52	2 58	3 34	3 59	4 35	5 0	5 20	5 38	5 55	6 12	6 30	6 51	7 18	7 57
„ 13	3 51	2 54	3 32	3 58	4 35	5 1	5 22	5 41	5 58	6 16	6 34	6 56	7 24	8 4
„ 20	3 53	2 54	3 32	4 0	4 38	5 4	5 25	5 44	6 1	6 19	6 38	7 0	7 28	8 8
„ 27	3 57	2 58	3 36	4 4	4 41	5 8	5 29	5 48	6 5	6 22	6 41	7 3	7 31	8 11
1993														
Jan. 3	4 3	3 8	3 44	4 11	4 47	5 13	5 33	5 51	6 8	6 25	6 43	7 5	7 32	8 11

Example:—To find the time of Sunset in Canberra (Latitude 35.3° S.) on Monday, July 20th, 1992. On July 19th L.M.T. = 5h. 19m. − $^{5.3}/_{10}$ × 23m. = 5h. 7m., on July 26th L.M.T. = 5h. 23m. − $^{5.3}/_{10}$ × 21m. = 5h. 12m. therefore L.M.T. on July 20th = 5h. 7m. + 1/7 × 5m. = 5h. 8m. P.M.

TABLES OF HOUSES FOR LONDON, *Latitude* 51° 32′ N.

H.	M.	S.	10 ♈ °	11 ♉ °	12 ♊ °	Ascen ♋ °	′	2 ♌ °	3 ♍ °
0	0	0	0	9	22	26	36	12	3
0	3	40	1	10	23	27	17	13	3
0	7	20	2	11	24	27	56	14	4
0	11	0	3	12	25	28	42	15	5
0	14	41	4	13	25	29	17	15	6
0	18	21	5	14	26	29	55	16	7
0	22	2	6	15	27	0 ♌	34	17	8
0	25	42	7	16	28	1	14	18	8
0	29	23	8	17	29	1	55	18	9
0	33	4	9	18	♋	2	33	19	10
0	36	45	10	19	1	3	14	20	11
0	40	26	11	20	1	3	54	20	12
0	44	8	12	21	2	4	33	21	13
0	47	50	13	22	3	5	12	22	14
0	51	32	14	23	4	5	52	23	15
0	55	14	15	24	5	6	30	23	15
0	58	57	16	25	6	7	9	24	16
1	2	40	17	26	6	7	50	25	17
1	6	23	18	27	7	8	30	26	18
1	10	7	19	28	8	9	9	26	19
1	13	51	20	29	9	9	48	27	19
1	17	35	21	♊	10	10	28	28	20
1	21	20	22	1	10	11	8	28	21
1	25	6	23	2	11	11	48	29	22
1	28	52	24	3	12	12	28	♍	23
1	32	38	25	4	13	13	8	1	24
1	36	25	26	5	14	13	48	1	25
1	40	12	27	6	14	14	28	2	25
1	44	0	28	7	15	15	8	3	26
1	47	48	29	8	16	15	48	4	27
1	51	37	30	9	17	16	28	4	28

H.	M.	S.	10 ♉ °	11 ♊ °	12 ♋ °	Ascen ♌ °	′	2 ♍ °	3 ♍ °
1	51	37	0	9	17	16	28	4	28
1	55	27	1	10	18	17	8	5	29
1	59	17	2	11	19	17	48	6	♎
2	3	8	3	12	19	18	28	7	1
2	6	59	4	13	20	19	9	8	2
2	10	51	5	14	21	19	49	9	2
2	14	44	6	15	22	20	29	9	3
2	18	37	7	16	22	21	10	10	4
2	22	31	8	17	23	21	51	11	5
2	26	25	9	18	24	22	32	11	6
2	30	20	10	19	25	23	14	12	7
2	34	16	11	20	25	23	55	13	8
2	38	13	12	21	26	24	36	14	9
2	42	10	13	22	27	25	17	15	10
2	46	8	14	23	28	25	58	15	11
2	50	7	15	24	29	26	40	16	12
2	54	7	16	25	29	27	22	17	12
2	58	7	17	26	♌	28	4	18	13
3	2	8	18	27	1	28	46	18	14
3	6	9	19	27	2	29	28	19	15
3	10	12	20	28	3	0 ♍	12	20	16
3	14	15	21	29	3	0	54	21	17
3	18	19	22	♋	4	1	36	22	18
3	22	23	23	1	5	2	20	22	19
3	26	29	24	2	6	3	2	23	20
3	30	35	25	3	7	3	45	24	21
3	34	41	26	4	7	4	28	25	22
3	38	49	27	5	8	5	11	26	23
3	42	57	28	6	9	5	54	27	24
3	47	6	29	7	10	6	38	27	25
3	51	15	30	8	11	7	21	28	25

H.	M.	S.	10 ♊ °	11 ♋ °	12 ♌ °	Ascen ♍ °	′	2 ♍ °	3 ♎ °
3	51	15	0	8	11	7	21	28	25
3	55	25	1	9	12	8	5	29	26
3	59	36	2	10	12	8	49	♎	27
4	3	48	3	10	13	9	33	1	28
4	8	0	4	11	14	10	17	2	29
4	12	13	5	12	15	11	2	2	♏
4	16	26	6	13	16	11	46	3	1
4	20	40	7	14	17	12	30	4	2
4	24	55	8	15	17	13	15	5	3
4	29	10	9	16	18	14	0	6	4
4	33	26	10	17	19	14	45	7	5
4	37	42	11	18	20	15	30	8	6
4	41	59	12	19	21	16	15	8	7
4	46	16	13	20	21	17	0	9	8
4	50	34	14	21	22	17	45	10	9
4	54	52	15	22	23	18	30	11	10
4	59	10	16	23	24	19	16	12	11
5	3	29	17	24	25	20	3	13	12
5	7	49	18	25	26	20	49	14	13
5	12	9	19	25	27	21	35	14	14
5	16	29	20	26	28	22	20	15	14
5	20	49	21	27	28	23	6	16	15
5	25	9	22	28	29	23	51	17	16
5	29	30	23	29	♍	24	37	18	17
5	33	51	24	♌	1	25	23	19	18
5	38	12	25	1	2	26	9	20	19
5	42	34	26	2	3	26	55	21	20
5	46	55	27	3	4	27	41	21	21
5	51	17	28	4	4	28	27	22	22
5	55	38	29	5	5	29	13	23	23
6	0	0	30	6	6	30	0	24	24

H.	M.	S.	10 ♋ °	11 ♌ °	12 ♍ °	Ascen ♎ °	′	2 ♎ °	3 ♏ °
6	0	0	0	6	6	0	0	24	24
6	4	22	1	7	7	0	47	25	25
6	8	43	2	8	8	1	33	26	26
6	13	5	3	9	9	2	19	27	27
6	17	26	4	10	10	3	5	27	28
6	21	48	5	11	10	3	51	28	29
6	26	9	6	12	11	4	37	29	♐
6	30	30	7	13	12	5	23	♏	1
6	34	51	8	14	13	6	9	1	2
6	39	11	9	15	14	6	55	2	3
6	43	31	10	16	15	7	40	2	4
6	47	51	11	16	16	8	26	3	4
6	52	11	12	17	16	9	12	4	5
6	56	31	13	18	17	9	58	5	6
7	0	50	14	19	18	10	43	6	7
7	5	8	15	20	19	11	28	7	8
7	9	26	16	21	20	12	14	8	9
7	13	44	17	22	21	12	59	8	10
7	18	1	18	23	22	13	45	9	11
7	22	18	19	24	23	14	30	10	12
7	26	34	20	25	24	15	15	11	13
7	30	50	21	26	25	16	0	12	14
7	35	5	22	27	25	16	45	13	15
7	39	20	23	28	26	17	30	13	16
7	43	34	24	29	27	18	15	14	17
7	47	47	25	♍	28	18	59	15	18
7	52	0	26	1	29	19	43	16	19
7	56	12	27	2	29	20	27	17	20
8	0	24	28	3	♎	21	11	18	20
8	4	35	29	4	1	21	56	18	21
8	8	45	30	5	2	22	40	19	22

H.	M.	S.	10 ♌ °	11 ♍ °	12 ♎ °	Ascen ♎ °	′	2 ♏ °	3 ♐ °
8	8	45	0	5	2	22	40	19	22
8	12	54	1	5	3	23	24	20	23
8	17	3	2	6	3	24	7	21	24
8	21	11	3	7	4	24	50	22	25
8	25	19	4	8	5	25	34	23	26
8	29	26	5	9	6	26	18	23	27
8	33	31	6	10	7	27	1	24	28
8	37	37	7	11	8	27	44	25	29
8	41	41	8	12	8	28	26	26	♑
8	45	45	9	13	9	29	8	27	1
8	49	48	10	14	10	29	50	27	2
8	53	51	11	15	11	0 ♏	32	28	3
8	57	52	12	16	12	1	15	29	4
9	1	53	13	17	12	1	58	♐	4
9	5	53	14	18	13	2	39	1	5
9	9	53	15	18	14	3	21	1	6
9	13	52	16	19	15	4	3	2	7
9	17	50	17	20	16	4	44	3	8
9	21	47	18	21	16	5	26	3	9
9	25	44	19	22	17	6	7	4	10
9	29	40	20	23	18	6	48	5	11
9	33	35	21	24	18	7	29	5	12
9	37	29	22	25	19	8	9	6	13
9	41	23	23	26	20	8	50	7	14
9	45	16	24	27	21	9	31	8	15
9	49	9	25	28	22	10	11	9	16
9	53	1	26	28	23	10	51	9	17
9	56	52	27	29	23	11	32	10	18
10	0	43	28	♎	24	12	12	11	19
10	4	33	29	1	25	12	53	12	20
10	8	23	30	2	26	13	33	13	20

H.	M.	S.	10 ♍ °	11 ♎ °	12 ♎ °	Ascen ♏ °	′	2 ♐ °	3 ♑ °
10	8	23	0	2	26	13	33	13	20
10	12	12	1	3	26	14	13	14	21
10	16	0	2	4	27	14	53	15	22
10	19	48	3	5	28	15	33	15	23
10	23	35	4	5	29	16	13	16	24
10	27	22	5	6	29	16	52	17	25
10	31	8	6	7	♏	17	32	18	26
10	34	54	7	8	1	18	12	19	27
10	38	40	8	9	2	18	52	20	28
10	42	25	9	10	2	19	31	20	29
10	46	9	10	11	3	20	11	21	♒
10	49	53	11	11	4	20	50	22	1
10	53	37	12	12	4	21	30	23	2
10	57	20	13	13	5	22	9	24	3
11	1	3	14	14	6	22	49	24	4
11	4	46	15	15	7	23	28	25	5
11	8	28	16	16	7	24	8	26	6
11	12	10	17	17	8	24	47	27	8
11	15	52	18	17	9	25	27	28	9
11	19	34	19	18	10	26	6	29	10
11	23	15	20	19	10	26	45	♑	11
11	26	56	21	20	11	27	25	0	12
11	30	37	22	21	12	28	5	1	13
11	34	18	23	22	13	28	44	2	14
11	37	58	24	23	13	29	24	3	15
11	41	39	25	23	14	0 ♐	3	4	16
11	45	19	26	24	15	0	43	5	17
11	49	0	27	25	15	1	23	6	18
11	52	40	28	26	16	2	3	6	19
11	56	20	29	27	17	2	43	7	20
12	0	0	30	27	17	3	23	8	21

TABLES OF HOUSES FOR LONDON, Latitude 51° 32′ *N.*

Sidereal Time. H.	M.	S.	10 ♎ °	11 ♎ °	12 ♏ °	Ascen ♐ °	′	2 ♑ °	3 ♒ °
12	0	0	0	27	17	3	23	8	21
12	3	40	1	28	18	4	4	9	23
12	7	20	2	29	19	4	45	10	24
12	11	0	3	♏	20	5	26	11	25
12	14	41	4	1	20	6	7	12	26
12	18	21	5	1	21	6	48	13	27
12	22	2	6	2	22	7	29	14	28
12	25	42	7	3	23	8	10	15	29
12	29	23	8	4	23	8	51	16	♓
12	33	4	9	5	24	9	33	17	2
12	36	45	10	6	25	10	15	18	3
12	40	26	11	6	25	10	57	19	4
12	44	8	12	7	26	11	40	20	5
12	47	50	13	8	27	12	22	21	6
12	51	32	14	9	28	13	4	22	7
12	55	14	15	10	28	13	47	23	9
12	58	57	16	11	29	14	30	24	10
13	2	40	17	11	♐	15	14	25	11
13	6	23	18	12	1	15	59	26	12
13	10	7	19	13	1	16	44	27	13
13	13	51	20	14	2	17	29	28	15
13	17	35	21	15	3	18	14	29	16
13	21	20	22	16	4	19	0	♒	17
13	25	6	23	16	4	19	45	1	18
13	28	52	24	17	5	20	31	2	20
13	32	38	25	18	6	21	18	4	21
13	36	25	26	19	7	22	6	5	22
13	40	12	27	20	7	22	54	6	23
13	44	0	28	21	8	23	42	7	25
13	47	48	29	21	9	24	31	8	26
13	51	37	30	22	10	25	20	10	27

Sidereal Time. H.	M.	S.	10 ♏ °	11 ♏ °	12 ♐ °	Ascen ♐ °	′	2 ♒ °	3 ♓ °
13	51	37	0	22	10	25	20	10	27
13	55	27	1	23	11	26	10	11	28
13	59	17	2	24	11	27	2	12	♈
14	3	8	3	25	12	27	53	14	1
14	6	59	4	26	13	28	45	15	2
14	10	51	5	26	14	29	36	16	4
14	14	44	6	27	15	0 ♑	29	18	5
14	18	37	7	28	15	1	23	19	6
14	22	31	8	29	16	2	18	20	8
14	26	25	9	♐	17	3	14	22	9
14	30	20	10	1	18	4	11	23	10
14	34	16	11	2	19	5	9	25	11
14	38	13	12	2	20	6	7	26	13
14	42	10	13	3	20	7	6	28	14
14	46	8	14	4	21	8	6	29	15
14	50	7	15	5	22	9	8	♓	17
14	54	7	16	6	23	10	11	2	18
14	58	7	17	7	24	11	15	4	19
15	2	8	18	8	25	12	20	6	21
15	6	9	19	9	26	13	27	8	22
15	10	12	20	9	27	14	35	9	23
15	14	15	21	10	27	15	43	11	24
15	18	19	22	11	28	16	52	13	26
15	22	23	23	12	29	18	3	14	27
15	26	29	24	13	♑	19	16	16	28
15	30	35	25	14	1	20	32	17	29
15	34	41	26	15	2	21	48	19	♉
15	38	49	27	16	3	23	8	21	2
15	42	57	28	17	4	24	29	22	3
15	47	6	29	18	5	25	51	24	5
15	51	15	30	18	6	27	15	26	6

Sidereal Time. H.	M.	S.	10 ♐ °	11 ♐ °	12 ♑ °	Ascen ♑ °	′	2 ♓ °	3 ♉ °
15	51	15	0	18	6	27	15	26	6
15	55	25	1	19	7	28	42	28	7
15	59	36	2	20	8	0 ♒	11	♈	9
16	3	48	3	21	9	1	42	2	10
16	8	0	4	22	10	3	16	3	11
16	12	13	5	23	11	4	53	5	12
16	16	26	6	24	12	6	32	7	14
16	20	40	7	25	13	8	13	9	15
16	24	55	8	26	14	9	57	11	16
16	29	10	9	27	16	11	44	12	17
16	33	26	10	28	17	13	34	14	18
16	37	42	11	29	18	15	26	16	20
16	41	59	12	♑	19	17	20	18	21
16	46	16	13	1	20	19	18	20	22
16	50	34	14	2	21	21	22	21	23
16	54	52	15	3	22	23	29	23	25
16	59	10	16	4	24	25	36	25	26
17	3	29	17	5	25	27	46	27	27
17	7	49	18	6	26	0 ♓	0	28	28
17	12	9	19	7	27	2	19	♉	29
17	16	29	20	8	29	4	40	2	♊
17	20	49	21	9	♒	7	2	3	1
17	25	9	22	10	1	9	26	5	2
17	29	30	23	11	3	11	54	7	3
17	33	51	24	12	4	14	24	8	5
17	38	12	25	13	5	17	0	10	6
17	42	34	26	14	7	19	33	11	7
17	46	55	27	15	8	22	6	13	8
17	51	17	28	16	10	24	40	14	9
17	55	38	29	17	11	27	20	16	10
18	0	0	30	18	13	30	0	17	11

Sidereal Time. H.	M.	S.	10 ♑ °	11 ♑ °	12 ♒ °	Ascen ♈ °	′	2 ♉ °	3 ♊ °
18	0	0	0	18	13	0	0	17	11
18	4	22	1	20	14	2	39	19	13
18	8	43	2	21	16	5	19	20	14
18	13	5	3	22	17	7	55	22	15
18	17	26	4	23	19	10	29	23	16
18	21	48	5	24	20	13	2	25	17
18	26	9	6	25	22	15	36	26	18
18	30	30	7	26	23	18	6	28	19
18	34	51	8	27	25	20	34	29	20
18	39	11	9	29	27	22	59	♊	21
18	43	31	10	♒	28	25	22	1	22
18	47	51	11	1	♓	27	42	2	23
18	52	11	12	2	2	29	58	4	24
18	56	31	13	3	3	2 ♉	13	5	25
19	0	50	14	4	5	4	24	6	26
19	5	8	15	6	7	6	30	8	27
19	9	26	16	7	9	8	36	9	28
19	13	44	17	8	10	10	40	10	29
19	18	1	18	9	12	12	39	11	♋
19	22	18	19	10	14	14	35	12	1
19	26	34	20	12	16	16	28	13	2
19	30	50	21	13	18	18	17	14	3
19	35	5	22	14	19	20	3	16	4
19	39	20	23	15	21	21	48	17	5
19	43	34	24	16	23	23	29	18	6
19	47	47	25	18	25	25	9	19	7
19	52	0	26	19	27	26	45	20	8
19	56	12	27	20	28	28	18	21	9
20	0	24	28	21	♈	29	49	22	10
20	4	35	29	23	2	1 ♊	19	23	11
20	8	45	30	24	4	2	45	24	12

Sidereal Time. H.	M.	S.	10 ♒ °	11 ♒ °	12 ♈ °	Ascen ♊ °	′	2 ♊ °	3 ♋ °
20	8	45	0	24	4	2	45	24	12
20	12	54	1	25	6	4	9	25	12
20	17	3	2	27	7	5	32	26	13
20	21	11	3	28	9	6	53	27	14
20	25	19	4	29	11	8	12	28	15
20	29	26	5	♓	13	9	27	29	16
20	33	31	6	2	14	10	43	♋	17
20	37	37	7	3	16	11	58	1	18
20	41	41	8	4	18	13	9	2	19
20	45	45	9	6	19	14	18	3	20
20	49	48	10	7	21	15	25	3	21
20	53	51	11	8	23	16	32	4	21
20	57	52	12	9	24	17	39	5	22
21	1	53	13	11	26	18	44	6	23
21	5	53	14	12	28	19	48	7	24
21	9	53	15	13	29	20	51	8	25
21	13	52	16	15	♉	21	53	9	26
21	17	50	17	16	2	22	53	10	27
21	21	47	18	17	4	23	52	10	28
21	25	44	19	19	5	24	51	11	28
21	29	40	20	20	7	25	48	12	29
21	33	35	21	22	8	26	44	13	♌
21	37	29	22	23	10	27	40	14	1
21	41	23	23	24	11	28	34	15	2
21	45	16	24	25	13	29	29	15	3
21	49	9	25	26	14	0 ♋	22	16	4
21	53	1	26	28	15	1	15	17	4
21	56	52	27	29	16	2	7	18	5
22	0	43	28	♈	18	2	57	19	6
22	4	33	29	2	19	3	48	19	7
22	8	23	30	3	20	4	38	20	8

Sidereal Time. H.	M.	S.	10 ♓ °	11 ♈ °	12 ♉ °	Ascen ♋ °	′	2 ♋ °	3 ♌ °
22	8	23	0	3	20	4	38	20	8
22	12	12	1	4	21	5	28	21	8
22	16	0	2	6	23	6	17	22	9
22	19	48	3	7	24	7	5	23	10
22	23	35	4	8	25	7	53	23	11
22	27	22	5	9	26	8	42	24	12
22	31	8	6	10	28	9	29	25	13
22	34	54	7	12	29	10	16	26	14
22	38	40	8	13	♊	11	2	26	14
22	42	25	9	14	1	11	47	27	15
22	46	9	10	15	2	12	31	28	16
22	49	53	11	17	3	13	16	29	17
22	53	37	12	18	4	14	1	29	18
22	57	20	13	19	5	14	45	♌	19
23	1	3	14	20	6	15	28	1	19
23	4	46	15	21	7	16	11	2	20
23	8	28	16	23	8	16	54	2	21
23	12	10	17	24	9	17	37	3	22
23	15	52	18	25	10	18	20	4	23
23	19	34	19	26	11	19	3	5	24
23	23	15	20	27	12	19	45	5	24
23	26	56	21	29	13	20	26	6	25
23	30	37	22	♉	14	21	8	7	26
23	34	18	23	1	15	21	50	7	27
23	37	58	24	2	16	22	31	8	28
23	41	39	25	3	17	23	12	9	28
23	45	19	26	4	18	23	53	9	29
23	49	0	27	5	19	24	32	10	♍
23	52	40	28	6	20	25	15	11	1
23	56	20	29	8	21	25	56	12	2
24	0	0	30	9	22	26	36	13	3

TABLES OF HOUSES FOR LIVERPOOL, *Latitude* 53° 25′ N.

Sidereal Time. H.	M.	S.	10 ♈ °	11 ♉ °	12 ♊ °	Ascen ♋ °	′	2 ♌ °	3 ♍ °
0	0	0	0	9	24	28	12	14	3
0	3	40	1	10	25	28	51	14	4
0	7	20	2	12	25	29	30	15	4
0	11	0	3	13	26	0 ♌	9	16	5
0	14	41	4	14	27	0	48	17	6
0	18	21	5	15	28	1	27	17	7
0	22	2	6	16	29	2	6	18	8
0	25	42	7	17	♋	2	44	19	9
0	29	23	8	18	1	3	22	19	10
0	33	4	9	19	1	4	1	20	10
0	36	45	10	20	2	4	39	21	11
0	40	26	11	21	3	5	18	22	12
0	44	8	12	22	4	5	56	22	13
0	47	50	13	23	5	6	34	23	14
0	51	32	14	24	6	7	13	24	14
0	55	14	15	25	6	7	51	24	15
0	58	57	16	26	7	8	30	25	16
1	2	40	17	27	8	9	8	26	17
1	6	23	18	28	9	9	47	26	18
1	10	7	19	29	10	10	25	27	19
1	13	51	20	♊	11	11	4	28	19
1	17	35	21	1	11	11	43	28	20
1	21	20	22	2	12	12	21	29	21
1	25	6	23	3	13	13	0	♍	22
1	28	52	24	4	14	13	39	1	23
1	32	38	25	5	15	14	17	1	24
1	36	25	26	6	15	14	56	2	25
1	40	12	27	7	16	15	35	3	25
1	44	0	28	8	17	16	14	3	26
1	47	48	29	9	18	16	53	4	27
1	51	37	30	10	18	17	32	5	28

Sidereal Time. H.	M.	S.	10 ♉ °	11 ♊ °	12 ♋ °	Ascen ♌ °	′	2 ♍ °	3 ♍ °
1	51	37	0	10	18	17	32	5	28
1	55	27	1	11	19	18	11	6	29
1	59	17	2	12	20	18	51	6	♎
2	3	8	3	13	21	19	30	7	1
2	6	59	4	14	22	20	9	8	2
2	10	51	5	15	22	20	49	9	2
2	14	44	6	16	23	21	28	9	3
2	18	37	7	17	24	22	8	10	4
2	22	31	8	18	25	22	48	11	5
2	26	25	9	19	25	23	28	12	6
2	30	20	10	20	26	24	8	12	7
2	34	16	11	21	27	24	48	13	8
2	38	13	12	22	28	25	28	14	9
2	42	10	13	23	29	26	8	15	10
2	46	8	14	24	29	26	49	15	10
2	50	7	15	25	♌	27	29	16	11
2	54	7	16	26	1	28	10	17	12
2	58	7	17	27	2	28	51	18	13
3	2	8	18	28	2	29	32	19	14
3	6	9	19	29	3	0 ♍	13	19	15
3	10	12	20	29	4	0	54	20	16
3	14	15	21	♋	5	1	36	21	17
3	18	19	22	1	5	2	17	22	18
3	22	23	23	2	6	2	59	23	19
3	26	29	24	3	7	3	41	23	20
3	30	35	25	4	8	4	23	24	21
3	34	41	26	5	9	5	5	25	22
3	38	49	27	6	10	5	47	26	22
3	42	57	28	7	10	6	29	27	23
3	47	6	29	8	11	7	12	27	24
3	51	15	30	9	12	7	55	28	25

Sidereal Time. H.	M.	S.	10 ♊ °	11 ♋ °	12 ♌ °	Ascen ♍ °	′	2 ♍ °	3 ♎ °
3	51	15	0	9	12	7	55	28	25
3	55	25	1	10	13	8	37	29	26
3	59	36	2	11	13	9	20	♎	27
4	3	48	3	12	14	10	3	1	28
4	8	0	4	12	15	10	46	2	29
4	12	13	5	13	16	11	30	2	♏
4	16	26	6	14	17	12	13	3	1
4	20	40	7	15	18	12	56	4	2
4	24	55	8	16	18	13	40	5	3
4	29	10	9	17	19	14	24	6	4
4	33	26	10	18	20	15	8	7	5
4	37	42	11	19	21	15	52	7	6
4	41	59	12	20	21	16	36	8	6
4	46	16	13	21	22	17	20	9	7
4	50	34	14	22	23	18	4	10	8
4	54	52	15	23	24	18	48	11	9
4	59	10	16	24	25	19	32	12	10
5	3	29	17	24	26	20	17	12	11
5	7	49	18	25	26	21	1	13	12
5	12	9	19	26	27	21	46	14	13
5	16	29	20	27	28	22	31	15	14
5	20	49	21	28	29	23	16	16	15
5	25	9	22	29	♍	24	0	17	16
5	29	30	23	♌	1	24	45	18	17
5	33	51	24	1	1	25	30	18	18
5	38	12	25	2	2	26	15	19	19
5	42	34	26	3	3	27	0	20	20
5	46	55	27	4	4	27	45	21	21
5	51	17	28	5	5	28	30	22	21
5	55	38	29	6	6	29	15	23	22
6	0	0	30	7	7	30	0	23	23

Sidereal Time. H.	M.	S.	10 ♋ °	11 ♌ °	12 ♍ °	Ascen ♎ °	′	2 ♎ °	3 ♏ °
6	0	0	0	7	7	0	0	23	23
6	4	22	1	8	7	0	45	24	24
6	8	43	2	9	8	1	30	25	25
6	13	5	3	9	9	2	15	26	26
6	17	26	4	10	10	3	0	27	27
6	21	48	5	11	11	3	45	28	28
6	26	9	6	12	12	4	30	29	29
6	30	30	7	13	12	5	15	29	♐
6	34	51	8	14	13	6	0	♏	1
6	39	11	9	15	14	6	44	1	2
6	43	31	10	16	15	7	29	2	3
6	47	51	11	17	16	8	14	3	4
6	52	11	12	18	17	8	59	4	5
6	56	31	13	19	18	9	43	4	6
7	0	50	14	20	18	10	27	5	6
7	5	8	15	21	19	11	11	6	7
7	9	26	16	22	20	11	56	7	8
7	13	44	17	23	21	12	40	8	9
7	18	1	18	24	22	13	24	8	10
7	22	18	19	24	23	14	8	9	11
7	26	34	20	25	23	14	52	10	12
7	30	50	21	26	24	15	36	11	13
7	35	5	22	27	25	16	20	12	14
7	39	20	23	28	26	17	4	13	15
7	43	34	24	29	27	17	47	13	16
7	47	47	25	♍	28	18	30	14	17
7	52	0	26	1	28	19	13	15	18
7	56	12	27	2	29	19	57	16	18
8	0	24	28	3	♎	20	40	17	19
8	4	35	29	4	1	21	23	17	20
8	8	45	30	5	2	22	5	18	21

Sidereal Time. H.	M.	S.	10 ♌ °	11 ♍ °	12 ♎ °	Ascen ♎ °	′	2 ♏ °	3 ♐ °
8	8	45	0	5	2	22	5	18	21
8	12	54	1	6	2	22	48	19	22
8	17	3	2	7	3	23	30	20	23
8	21	11	3	8	4	24	13	20	24
8	25	19	4	8	5	24	55	21	25
8	29	26	5	9	6	25	37	22	26
8	33	31	6	10	7	26	19	23	27
8	37	37	7	11	7	27	1	24	28
8	41	41	8	12	8	27	43	25	29
8	45	45	9	13	9	28	24	25	♑
8	49	48	10	14	10	29	6	26	1
8	53	51	11	15	11	29	47	27	1
8	57	52	12	16	11	0 ♏	28	28	2
9	1	53	13	17	12	1	9	28	3
9	5	53	14	18	13	1	50	29	4
9	9	53	15	19	14	2	31	♐	5
9	13	52	16	19	15	3	11	1	6
9	17	50	17	20	15	3	52	1	7
9	21	47	18	21	16	4	32	2	8
9	25	44	19	22	17	5	12	3	9
9	29	40	20	23	18	5	52	4	10
9	33	35	21	24	18	6	32	5	11
9	37	29	22	25	19	7	12	5	12
9	41	23	23	26	20	7	52	6	13
9	45	16	24	27	21	8	32	7	14
9	49	9	25	27	21	9	12	8	15
9	53	1	26	28	22	9	51	8	16
9	56	52	27	29	23	10	30	9	17
10	0	43	28	♎	24	11	9	10	17
10	4	33	29	1	24	11	49	11	18
10	8	23	30	2	25	12	28	11	19

Sidereal Time. H.	M.	S.	10 ♍ °	11 ♎ °	12 ♎ °	Ascen ♏ °	′	2 ♐ °	3 ♑ °
10	8	23	0	2	25	12	28	11	19
10	12	12	1	3	26	13	6	12	20
10	16	0	2	4	27	13	45	13	21
10	19	48	3	4	27	14	25	14	22
10	23	35	4	5	28	15	4	15	23
10	27	22	5	6	29	15	42	15	24
10	31	8	6	7	29	16	21	16	25
10	34	54	7	8	♏	17	0	17	26
10	38	40	8	9	1	17	39	18	27
10	42	25	9	10	2	18	17	18	28
10	46	9	10	10	2	18	55	19	29
10	49	53	11	11	3	19	34	20	♒
10	53	37	12	12	4	20	13	21	1
10	57	20	13	13	4	20	52	22	2
11	1	3	14	14	5	21	30	22	3
11	4	46	15	15	6	22	8	23	5
11	8	28	16	16	7	22	46	24	6
11	12	10	17	16	7	23	25	25	7
11	15	52	18	17	8	24	4	26	8
11	19	34	19	18	9	24	42	26	9
11	23	15	20	19	9	25	21	27	10
11	26	56	21	20	10	25	59	28	11
11	30	37	22	20	11	26	38	29	12
11	34	18	23	21	12	27	16	♑	13
11	37	58	24	22	12	27	54	1	14
11	41	39	25	23	13	28	33	1	15
11	45	19	26	24	14	29	11	2	16
11	49	0	27	25	14	29	50	3	17
11	52	40	28	26	15	0 ♐	30	4	18
11	56	20	29	26	16	1	9	5	20
12	0	0	30	27	16	1	48	6	21

TABLES OF HOUSES FOR LIVERPOOL, Latitude 53° 25′ N

Sidereal Time.			10 ♎	11 ♎	12 ♏	Ascen ♐		2 ♑	3 ♒
H.	M.	S.	°	°	°	°	′	°	°
12	0	0	0	27	16	1	48	6	21
12	3	40	1	28	17	2	27	7	22
12	7	20	2	29	18	3	6	8	23
12	11	0	3	♏	18	3	46	9	24
12	14	41	4	0	19	4	25	10	25
12	18	21	5	1	20	5	6	10	26
12	22	2	6	2	21	5	46	11	28
12	25	42	7	3	21	6	26	12	29
12	29	23	8	4	22	7	6	13	♓
12	33	4	9	4	23	7	46	14	1
12	36	45	10	5	24	8	27	15	2
12	40	26	11	6	24	9	8	16	3
12	44	8	12	7	25	9	49	17	5
12	47	50	13	8	26	10	30	18	6
12	51	32	14	9	26	11	12	19	7
12	55	14	15	9	27	11	54	20	8
12	58	57	16	10	28	12	36	21	10
13	2	40	17	11	28	13	19	22	11
13	6	23	18	12	29	14	2	23	12
13	10	7	19	13	♐	14	45	25	13
13	13	51	20	13	1	15	28	26	15
13	17	35	21	14	1	16	12	27	16
13	21	20	22	15	2	16	56	28	17
13	25	6	23	16	3	17	41	29	18
13	28	52	24	17	4	18	26	♒	19
13	32	38	25	17	4	19	11	1	21
13	36	25	26	18	5	19	57	3	22
13	40	12	27	19	6	20	44	4	23
13	44	0	28	20	7	21	31	5	24
13	47	48	29	21	7	22	18	7	26
13	51	37	30	21	8	23	6	8	27

Sidereal Time.			10 ♏	11 ♏	12 ♐	Ascen ♐		2 ♒	3 ♓
H.	M.	S.	°	°	°	°	′	°	°
13	51	37	0	21	8	23	6	8	27
13	55	27	1	22	9	23	55	9	28
13	59	17	2	23	10	24	43	10	♈
14	3	8	3	24	10	25	33	12	1
14	6	59	4	25	11	26	23	13	2
14	10	51	5	26	12	27	14	15	4
14	14	44	6	26	13	28	6	16	5
14	18	37	7	27	13	28	59	18	6
14	22	31	8	28	14	29	52	19	8
14	26	25	9	29	15	0 ♑	46	20	9
14	30	20	10	♐	16	1	41	22	10
14	34	16	11	1	17	2	36	23	11
14	38	13	12	2	18	3	33	25	13
14	42	10	13	2	18	4	30	26	14
14	46	8	14	3	19	5	29	28	16
14	50	7	15	4	20	6	29	♓	17
14	54	7	16	5	21	7	30	1	18
14	58	7	17	6	22	8	32	3	20
15	2	8	18	7	23	9	35	5	21
15	6	9	19	8	24	10	39	6	22
15	10	12	20	8	24	11	45	8	23
15	14	15	21	9	25	12	52	10	25
15	18	19	22	10	26	14	1	11	26
15	22	23	23	11	27	15	11	13	27
15	26	29	24	12	28	16	23	15	29
15	30	35	25	13	29	17	37	17	♉
15	34	41	26	14	♑	18	53	19	1
15	38	49	27	15	1	20	10	21	3
15	42	57	28	16	2	21	29	22	4
15	47	6	29	16	3	22	51	24	5
15	51	15	30	17	4	24	15	26	7

Sidereal Time.			10 ♐	11 ♐	12 ♑	Ascen ♑		2 ♓	3 ♉
H.	M.	S.	°	°	°	°	′	°	°
15	51	15	0	17	4	24	15	26	7
15	55	25	1	18	5	25	41	28	8
15	59	36	2	19	6	27	10	♈	9
16	3	48	3	20	7	28	41	2	10
16	8	0	4	21	8	0 ♒	14	4	12
16	12	13	5	22	9	1	50	5	13
16	16	26	6	23	10	3	30	7	14
16	20	40	7	24	11	5	13	9	15
16	24	55	8	25	12	6	58	11	17
16	29	10	9	26	13	8	46	13	18
16	33	26	10	27	14	10	38	15	19
16	37	42	11	28	15	12	32	17	20
16	41	59	12	29	16	14	31	19	22
16	46	16	13	♑	18	16	33	20	23
16	50	34	14	1	19	18	40	22	24
16	54	52	15	2	20	20	50	24	25
16	59	10	16	3	21	23	4	26	26
17	3	29	17	4	22	25	21	28	28
17	7	49	18	5	24	27	42	29	29
17	12	9	19	6	25	0 ♓	8	♉	♊
17	16	29	20	7	26	2	37	3	1
17	20	49	21	8	28	5	10	5	3
17	25	9	22	9	29	7	46	6	4
17	29	30	23	10	♒	10	24	8	5
17	33	51	24	11	2	13	7	10	6
17	38	12	25	12	3	15	52	11	7
17	42	34	26	13	4	18	38	13	8
17	46	55	27	14	6	21	27	15	9
17	51	17	28	15	7	24	17	16	10
17	55	38	29	16	9	27	8	18	12
18	0	0	30	17	11	30	0	19	13

Sidereal Time.			10 ♑	11 ♑	12 ♒	Ascen ♈		2 ♉	3 ♊
H.	M.	S.	°	°	°	°	′	°	°
18	0	0	0	17	11	0	0	19	13
18	4	22	1	18	12	2	52	21	14
18	8	43	2	20	14	5	43	23	15
18	13	5	3	21	15	8	33	24	16
18	17	26	4	22	17	11	22	25	17
18	21	48	5	23	19	14	8	27	18
18	26	9	6	24	20	16	53	28	19
18	30	30	7	25	22	19	36	♊	20
18	34	51	8	26	24	22	14	1	21
18	39	11	9	27	25	24	50	2	22
18	43	31	10	29	27	27	23	4	23
18	47	51	11	♒	28	29	52	5	24
18	52	11	12	1	♓	2 ♉	18	6	25
18	56	31	13	2	2	4	39	8	26
19	0	50	14	4	4	6	56	9	27
19	5	8	15	5	6	9	10	10	28
19	9	26	16	6	8	11	20	11	29
19	13	44	17	7	10	13	27	12	♋
19	18	1	18	8	11	15	29	14	1
19	22	18	19	9	13	17	28	15	2
19	26	34	20	11	15	19	22	16	3
19	30	50	21	12	17	21	14	17	4
19	35	5	22	13	19	23	2	18	5
19	39	20	23	15	21	24	47	19	6
19	43	34	24	16	23	26	30	20	7
19	47	47	25	17	25	28	10	21	8
19	52	0	26	18	26	29	46	22	9
19	56	12	27	20	28	1 ♊	19	23	10
20	0	24	28	21	♈	2	50	24	11
20	4	35	29	22	2	4	19	25	12
20	8	45	30	23	4	5	45	26	13

Sidereal Time.			10 ♒	11 ♒	12 ♈	Ascen ♊		2 ♊	3 ♋
H.	M.	S.	°	°	°	°	′	°	°
20	8	45	0	23	4	5	45	26	13
20	12	54	1	25	6	7	9	27	14
20	17	3	2	26	8	8	31	28	14
20	21	11	3	27	9	9	50	29	15
20	25	19	4	29	11	11	7	♋	16
20	29	26	5	♓	13	12	23	1	17
20	33	31	6	1	15	13	37	2	18
20	37	37	7	3	17	14	49	3	19
20	41	41	8	4	19	15	59	4	20
20	45	45	9	5	20	17	8	5	21
20	49	48	10	7	22	18	15	6	22
20	53	51	11	8	24	19	21	7	22
20	57	52	12	10	25	20	25	7	23
21	1	53	13	11	27	21	28	8	24
21	5	53	14	12	29	22	30	9	25
21	9	53	15	13	♉	23	31	10	26
21	13	52	16	14	2	24	31	11	27
21	17	50	17	16	4	25	30	12	28
21	21	47	18	17	5	26	27	12	28
21	25	44	19	18	7	27	24	13	29
21	29	40	20	20	8	28	19	14	♌
21	33	35	21	21	10	29	14	15	1
21	37	29	22	22	11	0 ♋	8	16	2
21	41	23	23	24	12	1	1	17	3
21	45	16	24	25	14	1	54	17	4
21	49	9	25	26	15	2	46	18	4
21	53	1	26	28	17	3	37	19	5
21	56	52	27	29	18	4	27	20	6
22	0	43	28	♈	20	5	17	20	7
22	4	33	29	2	21	6	5	21	8
22	8	23	30	3	22	6	54	22	8

Sidereal Time.			10 ♓	11 ♈	12 ♉	Ascen ♋		2 ♋	3 ♌
H.	M.	S.	°	°	°	°	′	°	°
22	8	23	0	3	22	6	54	22	8
22	12	12	1	4	23	7	42	23	9
22	16	0	2	5	25	8	29	23	10
22	19	48	3	7	26	9	16	24	11
22	23	35	4	8	27	10	3	25	12
22	27	22	5	9	29	10	49	26	13
22	31	8	6	11	♊	11	34	26	13
22	34	54	7	12	1	12	19	27	14
22	38	40	8	13	2	13	3	28	15
22	42	25	9	14	3	13	48	29	16
22	46	9	10	16	4	14	32	29	17
22	49	53	11	17	5	15	15	♌	17
22	53	37	12	18	7	15	58	1	18
22	57	20	13	19	8	16	41	2	19
23	1	3	14	20	9	17	24	2	20
23	4	46	15	22	10	18	6	3	21
23	8	28	16	23	11	18	48	4	21
23	12	10	17	24	12	19	30	4	22
23	15	52	18	25	13	20	11	5	23
23	19	34	19	27	14	20	52	6	24
23	23	15	20	28	15	21	33	6	25
23	26	56	21	29	16	22	14	7	26
23	30	37	22	♉	17	22	54	8	26
23	34	18	23	1	18	23	34	9	27
23	37	58	24	2	19	24	14	9	28
23	41	39	25	4	20	24	54	10	29
23	45	19	26	5	21	25	35	11	♍
23	49	0	27	6	22	26	14	11	0
23	52	40	28	7	22	26	54	12	1
23	56	20	29	8	23	27	33	13	2
24	0	0	30	9	24	28	12	14	3

TABLES OF HOUSES FOR NEW YORK, Latitude 40° 43′ *N.*

Sidereal Time.			10 ♈	11 ♉	12 ♊	Ascen ♋		2 ♌	3 ♍
H.	M.	S.	°	°	°	°	′	°	°
0	0	0	0	6	15	18	53	8	1
0	3	40	1	7	16	19	38	9	2
0	7	20	2	8	17	20	23	10	3
0	11	0	3	9	18	21	12	11	4
0	14	41	4	11	19	21	55	12	5
0	18	21	5	12	20	22	40	12	5
0	22	2	6	13	21	23	24	13	6
0	25	42	7	14	22	24	8	14	7
0	29	23	8	15	23	24	54	15	8
0	33	4	9	16	23	25	37	15	9
0	36	45	10	17	24	26	22	16	10
0	40	26	11	18	25	27	5	17	11
0	44	8	12	19	26	27	50	18	12
0	47	50	13	20	27	28	33	19	13
0	51	32	14	21	28	29	18	19	13
0	55	14	15	22	28	0 ♌	3	20	14
0	58	57	16	23	29	0	46	21	15
1	2	40	17	24	♋	1	31	22	16
1	6	23	18	25	1	2	14	22	17
1	10	7	19	26	2	2	58	23	18
1	13	51	20	27	3	3	43	24	19
1	17	35	21	28	3	4	27	25	20
1	21	20	22	29	4	5	12	25	21
1	25	6	23	♊	5	5	56	26	22
1	28	52	24	1	6	6	40	27	22
1	32	38	25	2	7	7	25	28	23
1	36	25	26	2	8	8	9	29	24
1	40	12	27	3	9	8	53	♍	25
1	44	0	28	4	10	9	38	1	26
1	47	48	29	5	10	10	24	1	27
1	51	37	30	6	11	11	8	2	28

Sidereal Time.			10 ♉	11 ♊	12 ♋	Ascen ♌		2 ♍	3 ♍
H.	M.	S.	°	°	°	°	′	°	°
1	51	37	0	6	11	11	8	2	28
1	55	27	1	7	12	11	53	3	29
1	59	17	2	8	13	12	38	4	♎
2	3	8	3	9	14	13	22	5	1
2	6	59	4	10	15	14	8	5	2
2	10	51	5	11	15	14	53	6	3
2	14	44	6	12	16	15	39	7	4
2	18	37	7	13	17	16	24	8	4
2	22	31	8	14	18	17	10	9	5
2	26	25	9	15	19	17	56	10	6
2	30	20	10	16	20	18	41	10	7
2	34	16	11	17	20	19	27	11	8
2	38	13	12	18	21	20	14	12	9
2	42	10	13	19	22	21	0	13	10
2	46	8	14	19	23	21	47	14	11
2	50	7	15	20	24	22	33	15	12
2	54	7	16	21	25	23	20	16	13
2	58	7	17	22	25	24	7	17	14
3	2	8	18	23	26	24	54	17	15
3	6	9	19	24	27	25	42	18	16
3	10	12	20	25	28	26	29	19	17
3	14	15	21	26	29	27	17	20	18
3	18	19	22	27	♌	28	4	21	19
3	22	23	23	28	1	28	52	22	20
3	26	29	24	29	1	29	40	23	21
3	30	35	25	♋	2	0 ♍	29	24	22
3	34	41	26	1	3	1	17	24	23
3	38	49	27	2	4	2	6	25	24
3	42	57	28	3	5	2	55	26	25
3	47	6	29	4	6	3	43	27	26
3	51	15	30	5	7	4	32	28	27

Sidereal Time.			10 ♊	11 ♋	12 ♌	Ascen ♍		2 ♍	3 ♎
H.	M.	S.	°	°	°	°	′	°	°
3	51	15	0	5	7	4	32	28	27
3	55	25	1	6	8	5	22	29	28
3	59	36	2	6	8	6	10	♎	29
4	3	48	3	7	9	7	0	1	♏
4	8	0	4	8	10	7	49	2	1
4	12	13	5	9	11	8	40	3	2
4	16	26	6	10	12	9	30	4	3
4	20	40	7	11	13	10	19	4	4
4	24	55	8	12	14	11	10	5	5
4	29	10	9	13	15	12	0	6	6
4	33	26	10	14	16	12	51	7	7
4	37	42	11	15	16	13	41	8	8
4	41	59	12	16	17	14	32	9	9
4	46	16	13	17	18	15	23	10	10
4	50	34	14	18	19	16	14	11	11
4	54	52	15	19	20	17	5	12	12
4	59	10	16	20	21	17	56	13	13
5	3	29	17	21	22	18	47	14	14
5	7	49	18	22	23	19	39	15	15
5	12	9	19	23	24	20	30	16	16
5	16	29	20	24	25	21	22	17	17
5	20	49	21	25	25	22	13	18	18
5	25	9	22	26	26	23	5	18	19
5	29	30	23	27	27	23	57	19	20
5	33	51	24	28	28	24	49	20	21
5	38	12	25	29	29	25	40	21	22
5	42	34	26	♌	♍	26	32	22	22
5	46	55	27	1	1	27	25	23	23
5	51	17	28	2	2	28	16	24	24
5	55	38	29	3	3	29	8	25	25
6	0	0	30	4	4	30	0	26	26

Sidereal Time.			10 ♋	11 ♌	12 ♍	Ascen ♎		2 ♎	3 ♏
H.	M.	S.	°	°	°	°	′	°	°
6	0	0	0	4	4	0	0	26	26
6	4	22	1	5	5	0	52	27	27
6	8	43	2	6	6	1	44	28	28
6	13	5	3	6	7	2	35	29	29
6	17	26	4	7	8	3	28	♏	♐
6	21	48	5	8	9	4	20	1	1
6	26	9	6	9	10	5	11	2	2
6	30	30	7	10	11	6	3	3	3
6	34	51	8	11	12	6	55	3	4
6	39	11	9	12	13	7	47	4	5
6	43	31	10	13	14	8	38	5	6
6	47	51	11	14	15	9	30	6	7
6	52	11	12	15	15	10	21	7	8
6	56	31	13	16	16	11	13	8	9
7	0	50	14	17	17	12	4	9	10
7	5	8	15	18	18	12	55	10	11
7	9	26	16	19	19	13	46	11	12
7	13	44	17	20	20	14	37	12	13
7	18	1	18	21	21	15	28	13	14
7	22	18	19	22	22	16	19	14	15
7	26	34	20	23	23	17	9	14	16
7	30	50	21	24	23	18	0	15	17
7	35	5	22	25	24	18	50	16	18
7	39	20	23	26	25	19	41	17	19
7	43	34	24	27	26	20	30	18	20
7	47	47	25	28	27	21	20	19	21
7	52	0	26	29	28	22	11	20	22
7	56	12	27	♍	29	23	0	21	23
8	0	24	28	1	♎	23	50	21	24
8	4	35	29	2	1	24	38	22	24
8	8	45	30	3	2	25	28	23	25

Sidereal Time.			10 ♌	11 ♍	12 ♎	Ascen ♎		2 ♏	3 ♐
H.	M.	S.	°	°	°	°	′	°	°
8	8	45	0	3	2	25	28	23	25
8	12	54	1	4	3	26	17	24	26
8	17	3	2	5	4	27	5	25	27
8	21	11	3	6	5	27	54	26	28
8	25	19	4	7	6	28	43	27	29
8	29	26	5	8	7	29	31	28	♑
8	33	31	6	9	7	0 ♏	20	28	1
8	37	37	7	10	8	1	8	29	2
8	41	41	8	11	9	1	56	♐	3
8	45	45	9	12	10	2	43	1	4
8	49	48	10	13	11	3	31	2	5
8	53	51	11	14	12	4	18	3	6
8	57	52	12	15	12	5	6	4	7
9	1	53	13	16	13	5	53	5	8
9	5	53	14	17	14	6	40	5	9
9	9	53	15	18	15	7	27	6	10
9	13	52	16	19	16	8	13	7	10
9	17	50	17	20	17	9	0	8	11
9	21	47	18	21	18	9	46	9	12
9	25	44	19	22	19	10	33	10	13
9	29	40	20	23	19	11	19	10	14
9	33	35	21	24	20	12	4	11	15
9	37	29	22	24	21	12	50	12	16
9	41	23	23	25	22	13	36	13	17
9	45	16	24	26	23	14	21	14	18
9	49	9	25	27	24	15	7	15	19
9	53	1	26	28	24	15	52	15	20
9	56	52	27	29	25	16	38	16	21
10	0	43	28	♎	26	17	22	17	22
10	4	33	29	1	27	18	7	18	23
10	8	23	30	2	28	18	52	19	24

Sidereal Time.			10 ♍	11 ♎	12 ♎	Ascen ♏		2 ♐	3 ♑
H.	M.	S.	°	°	°	°	′	°	°
10	8	23	0	2	28	18	52	19	24
10	12	12	1	3	29	19	36	20	25
10	16	0	2	4	29	20	22	20	26
10	19	48	3	5	♏	21	7	21	27
10	23	35	4	6	1	21	51	22	28
10	27	22	5	7	1	22	35	23	28
10	31	8	6	7	2	23	20	24	29
10	34	54	7	8	3	24	4	25	♒
10	38	40	8	9	4	24	48	25	1
10	42	25	9	10	5	25	33	26	2
10	46	9	10	11	6	26	17	27	3
10	49	53	11	12	7	27	2	28	4
10	53	37	12	13	7	27	46	29	5
10	57	20	13	14	8	28	29	♑	6
11	1	3	14	15	9	29	14	1	7
11	4	46	15	16	10	29	57	1	8
11	8	28	16	17	11	0 ♐	42	2	9
11	12	10	17	17	11	1	27	3	10
11	15	52	18	18	12	2	10	4	11
11	19	34	19	19	13	2	55	5	12
11	23	15	20	20	14	3	38	6	13
11	26	56	21	21	14	4	23	7	14
11	30	37	22	22	15	5	6	7	15
11	34	18	23	23	16	5	52	8	16
11	37	58	24	23	17	6	36	9	17
11	41	39	25	24	18	7	20	10	18
11	45	19	26	25	18	8	5	11	19
11	49	0	27	26	19	8	48	12	20
11	52	40	28	27	20	9	37	13	22
11	56	20	29	28	21	10	22	14	23
12	0	0	30	29	21	11	7	15	24

TABLES OF HOUSES FOR NEW YORK, Latitude 40° 43′ *N.*

Sidereal Time.			10	11	12	Ascen		2	3
			♎	♎	♏	♐		♑	♒
H.	M.	S.	°	°	°	°	′	°	°
12	0	0	0	29	21	11	7	15	24
12	3	40	1	♏	22	11	52	16	25
12	7	20	2	1	23	12	37	17	26
12	11	0	3	1	24	13	19	17	27
12	14	41	4	2	25	14	7	18	28
12	18	21	5	3	25	14	52	19	29
12	22	2	6	4	26	15	38	20	♓
12	25	42	7	5	27	16	23	21	1
12	29	23	8	6	28	17	11	22	2
12	33	4	9	6	28	17	58	23	3
12	36	45	10	7	29	18	45	24	4
12	40	26	11	8	♐	19	32	25	5
12	44	8	12	9	1	20	20	26	7
12	47	50	13	10	2	21	8	27	8
12	51	32	14	11	2	21	57	28	9
12	55	14	15	12	3	22	43	29	10
12	58	57	16	13	4	23	33	♒	11
13	2	40	17	13	5	24	22	1	12
13	6	23	18	14	6	25	11	2	13
13	10	7	19	15	7	26	1	3	15
13	13	51	20	16	7	26	51	5	16
13	17	35	21	17	8	27	40	6	17
13	21	20	22	18	9	28	32	7	18
13	25	6	23	19	10	29	23	8	19
13	28	52	24	19	10	0♑	14	9	20
13	32	38	25	20	11	1	7	10	21
13	36	25	26	21	12	2	0	11	23
13	40	12	27	22	13	2	52	12	24
13	44	0	28	23	13	3	46	13	25
13	47	48	29	24	14	4	41	15	26
13	51	37	30	25	15	5	35	16	27

Sidereal Time.			10	11	12	Ascen		2	3
			♏	♏	♐	♑		♒	♓
H.	M.	S.	°	°	°	°	′	°	°
13	51	37	0	25	15	5	35	16	27
13	55	27	1	25	16	6	30	17	29
13	59	17	2	26	17	7	27	18	♈
14	3	8	3	27	18	8	23	20	1
14	6	59	4	28	18	9	20	21	2
14	10	51	5	29	19	10	18	22	3
14	14	44	6	♐	20	11	16	23	5
14	18	37	7	1	21	12	15	24	6
14	22	31	8	2	22	13	15	26	7
14	26	25	9	2	23	14	16	27	8
14	30	20	10	3	24	15	17	28	9
14	34	16	11	4	24	16	19	♓	11
14	38	13	12	5	25	17	23	1	12
14	42	10	13	6	26	18	27	2	13
14	46	8	14	7	27	19	32	4	14
14	50	7	15	8	28	20	37	5	16
14	54	7	16	9	29	21	44	6	17
14	58	7	17	10	♑	22	51	8	18
15	2	8	18	10	1	23	59	9	19
15	6	9	19	11	2	25	9	11	20
15	10	12	20	12	3	26	19	12	22
15	14	15	21	13	4	27	31	14	23
15	18	19	22	14	5	28	43	15	24
15	22	23	23	15	6	29	57	16	25
15	26	29	24	16	6	1♒	14	18	26
15	30	35	25	17	7	2	28	19	28
15	34	41	26	18	8	3	46	21	29
15	38	49	27	19	9	5	5	22	♉
15	42	57	28	20	10	6	25	24	1
15	47	6	29	21	11	7	46	25	3
15	51	15	30	21	13	9	8	27	4

Sidereal Time.			10	11	12	Ascen		2	3
			♐	♐	♑	♒		♓	♉
H.	M.	S.	°	°	°	°	′	°	°
15	51	15	0	21	13	9	8	27	4
15	55	25	1	22	14	10	31	28	5
15	59	36	2	23	15	11	56	♈	6
16	3	48	3	24	16	13	23	1	7
16	8	0	4	25	17	14	50	3	9
16	12	13	5	26	18	16	9	4	10
16	16	26	6	27	19	17	50	6	11
16	20	40	7	28	20	19	22	7	12
16	24	55	8	29	21	20	56	9	13
16	29	10	9	♑	22	22	30	11	15
16	33	26	10	1	23	24	7	12	16
16	37	42	11	2	24	25	44	14	17
16	41	59	12	3	26	27	23	15	18
16	46	16	13	4	27	29	4	17	19
16	50	34	14	5	28	0♓	45	18	20
16	54	52	15	6	29	2	27	20	22
16	59	10	16	7	♒	4	11	21	23
17	3	29	17	8	2	5	56	23	24
17	7	49	18	9	3	7	43	24	25
17	12	9	19	10	4	9	30	26	26
17	16	29	20	11	5	11	18	27	27
17	20	49	21	12	7	13	8	29	28
17	25	9	22	13	8	14	57	♉	♊
17	29	30	23	14	9	16	48	2	1
17	33	51	24	15	10	18	41	3	2
17	38	12	25	16	12	20	33	5	3
17	42	34	26	17	13	22	25	6	4
17	46	55	27	19	14	24	19	7	5
17	51	17	28	20	16	26	12	9	6
17	55	38	29	21	17	28	7	10	7
18	0	0	30	22	18	30	0	12	9

Sidereal Time.			10	11	12	Ascen		2	3
			♑	♑	♒	♈		♉	♊
H.	M.	S.	°	°	°	°	′	°	°
18	0	0	0	22	18	0	0	12	9
18	4	22	1	23	20	1	53	13	10
18	8	43	2	24	21	3	48	14	11
18	13	5	3	25	23	5	41	16	12
18	17	26	4	26	24	7	35	17	13
18	21	48	5	27	25	9	27	18	14
18	26	9	6	28	27	11	19	20	15
18	30	30	7	29	28	13	12	21	16
18	34	51	8	♒	♓	15	3	22	17
18	39	11	9	2	1	16	52	23	18
18	43	31	10	3	3	18	42	25	19
18	47	51	11	4	4	20	30	26	20
18	52	11	12	5	5	22	17	27	21
18	56	31	13	6	7	24	4	29	22
19	0	50	14	7	9	25	49	♊	23
19	5	8	15	9	10	27	33	1	24
19	9	26	16	10	12	29	15	2	25
19	13	44	17	11	13	0♉	56	3	26
19	18	1	18	12	15	2	37	4	27
19	22	18	19	13	16	4	16	6	28
19	26	34	20	14	18	5	53	7	29
19	30	50	21	16	19	7	30	8	♋
19	35	5	22	17	21	9	4	9	1
19	39	20	23	18	22	10	38	10	2
19	43	34	24	19	24	12	10	11	3
19	47	47	25	20	25	13	41	12	4
19	52	0	26	21	27	15	10	13	5
19	56	12	27	23	29	16	37	14	6
20	0	24	28	24	♈	18	4	15	7
20	4	35	29	25	2	19	29	16	8
20	8	45	30	26	3	20	52	17	9

Sidereal Time.			10	11	12	Ascen		2	3
			♒	♒	♈	♉		♊	♋
H.	M.	S.	°	°	°	°	′	°	°
20	8	45	0	26	3	20	52	17	9
20	12	54	1	27	5	22	14	18	9
20	17	3	2	29	6	23	35	19	10
20	21	11	3	♓	8	24	55	20	11
20	25	19	4	1	9	26	14	21	12
20	29	26	5	2	11	27	32	22	13
20	33	31	6	3	12	28	46	23	14
20	37	37	7	5	14	0♊	3	24	15
20	41	41	8	6	15	1	17	25	16
20	45	45	9	7	16	2	29	26	17
20	49	48	10	8	18	3	41	27	18
20	53	51	11	10	19	4	51	28	19
20	57	52	12	11	21	6	1	29	20
21	1	53	13	12	22	7	9	♋	20
21	5	53	14	13	24	8	16	1	21
21	9	53	15	14	25	9	23	2	22
21	13	52	16	16	26	10	30	3	23
21	17	50	17	17	28	11	33	4	24
21	21	47	18	18	29	12	37	5	25
21	25	44	19	19	♉	13	41	6	26
21	29	40	20	21	2	14	43	6	27
21	33	35	21	22	3	15	44	7	28
21	37	29	22	23	4	16	45	8	28
21	41	23	23	24	6	17	45	9	29
21	45	16	24	25	7	18	44	10	♌
21	49	9	25	27	8	19	42	11	1
21	53	1	26	28	9	20	40	12	2
21	56	52	27	29	11	21	37	12	3
22	0	43	28	♈	12	22	33	13	4
22	4	33	29	1	13	23	30	14	5
22	8	23	30	3	14	24	25	15	5

Sidereal Time.			10	11	12	Ascen		2	3
			♓	♈	♉	♊		♋	♌
H.	M.	S.	°	°	°	°	′	°	°
22	8	23	0	3	14	24	25	15	5
22	12	12	1	4	15	25	19	16	6
22	16	0	2	5	17	26	14	17	7
22	19	48	3	6	18	27	8	17	8
22	23	35	4	7	19	28	0	18	9
22	27	22	5	8	20	28	53	19	10
22	31	8	6	10	21	29	46	20	11
22	34	54	7	11	22	0♋	37	21	11
22	38	40	8	12	23	1	28	21	12
22	42	25	9	13	24	2	20	22	13
22	46	9	10	14	25	3	9	23	14
22	49	53	11	15	27	3	59	24	15
22	53	37	12	17	28	4	49	24	16
22	57	20	13	18	29	5	38	25	17
23	1	3	14	19	♊	6	27	26	17
23	4	46	15	20	1	7	17	27	18
23	8	28	16	21	2	8	3	28	19
23	12	10	17	22	3	8	52	28	20
23	15	52	18	23	4	9	40	29	21
23	19	34	19	24	5	10	28	♌	22
23	23	15	20	26	6	11	15	1	23
23	26	56	21	27	7	12	2	2	23
23	30	37	22	28	8	12	49	2	24
23	34	18	23	29	9	13	37	3	25
23	37	58	24	♉	10	14	22	4	26
23	41	39	25	1	11	15	8	5	27
23	45	19	26	2	12	15	53	5	28
23	49	0	27	3	12	16	41	6	29
23	52	40	28	4	13	17	23	7	29
23	56	20	29	5	14	18	8	8	♍
24	0	0	30	6	15	18	53	9	1

PROPORTIONAL LOGARITHMS FOR FINDING THE PLANETS' PLACES

DEGREES OR HOURS

Min.	0	1	2	3	4	5	6	7	8	9	10	11	12	13	14	15	Min.
0	3.1584	1.3802	1.0792	9031	7781	6812	6021	5351	4771	4260	3802	3388	3010	2663	2341	2041	0
1	3.1584	1.3730	1.0756	9007	7763	6798	6009	5341	4762	4252	3795	3382	3004	2657	2336	2036	1
2	2.8573	1.3660	1.0720	8983	7745	6784	5997	5330	4753	4244	3788	3375	2998	2652	2330	2032	2
3	2.6812	1.3590	1.0685	8959	7728	6769	5985	5320	4744	4236	3780	3368	2992	2646	2325	2027	3
4	2.5563	1.3522	1.0649	8935	7710	6755	5973	5310	4735	4228	3773	3362	2986	2640	2320	2022	4
5	2.4594	1.3454	1.0614	8912	7692	6741	5961	5300	4726	4220	3766	3355	2980	2635	2315	2017	5
6	2.3802	1.3388	1.0580	8888	7674	6726	5949	5289	4717	4212	3759	3349	2974	2629	2310	2012	6
7	2.3133	1.3323	1.0546	8865	7657	6712	5937	5279	4708	4204	3752	3342	2968	2624	2305	2008	7
8	2.2553	1.3258	1.0511	8842	7639	6698	5925	5269	4699	4196	3745	3336	2962	2618	2300	2003	8
9	2.2041	1.3195	1.0478	8819	7622	6684	5913	5259	4690	4188	3737	3329	2956	2613	2295	1998	9
10	2.1584	1.3133	1.0444	8796	7604	6670	5902	5249	4682	4180	3730	3323	2950	2607	2289	1993	10
11	2.1170	1.3071	1.0411	8773	7587	6656	5890	5239	4673	4172	3723	3316	2944	2602	2284	1988	11
12	2.0792	1.3010	1.0378	8751	7570	6642	5878	5229	4664	4164	3716	3310	2938	2596	2279	1984	12
13	2.0444	1.2950	1.0345	8728	7552	6628	5866	5219	4655	4156	3709	3303	2933	2591	2274	1979	13
14	2.0122	1.2891	1.0313	8706	7535	6614	5855	5209	4646	4148	3702	3297	2927	2585	2269	1974	14
15	1.9823	1.2833	1.0280	8683	7518	6600	5843	5199	4638	4141	3695	3291	2921	2580	2264	1969	15
16	1.9542	1.2775	1.0248	8661	7501	6587	5832	5189	4629	4133	3688	3284	2915	2574	2259	1965	16
17	1.9279	1.2719	1.0216	8639	7484	6573	5820	5179	4620	4125	3681	3278	2909	2569	2254	1960	17
18	1.9031	1.2663	1.0185	8617	7467	6559	5809	5169	4611	4117	3674	3271	2903	2564	2249	1955	18
19	1.8796	1.2607	1.0153	8595	7451	6546	5797	5159	4603	4109	3667	3265	2897	2558	2244	1950	19
20	1.8573	1.2553	1.0122	8573	7434	6532	5786	5149	4594	4102	3660	3258	2891	2553	2239	1946	20
21	1.8361	1.2499	1.0091	8552	7417	6519	5774	5139	4585	4094	3653	3252	2885	2547	2234	1941	21
22	1.8159	1.2445	1.0061	8530	7401	6505	5763	5129	4577	4086	3646	3246	2880	2542	2229	1936	22
23	1.7966	1.2393	1.0030	8509	7384	6492	5752	5120	4568	4079	3639	3239	2874	2536	2223	1932	23
24	1.7781	1.2341	1.0000	8487	7368	6478	5740	5110	4559	4071	3632	3233	2868	2531	2218	1927	24
25	1.7604	1.2289	0.9970	8466	7351	6465	5729	5100	4551	4063	3625	3227	2862	2526	2213	1922	25
26	1.7434	1.2239	0.9940	8445	7335	6451	5718	5090	4542	4055	3618	3220	2856	2520	2208	1917	26
27	1.7270	1.2188	0.9910	8424	7318	6438	5706	5081	4534	4048	3611	3214	2850	2515	2203	1913	27
28	1.7112	1.2139	0.9881	8403	7302	6425	5695	5071	4525	4040	3604	3208	2845	2509	2198	1908	28
29	1.6960	1.2090	0.9852	8382	7286	6412	5684	5061	4516	4032	3597	3201	2839	2504	2193	1903	29
30	1.6812	1.2041	0.9823	8361	7270	6398	5673	5051	4508	4025	3590	3195	2833	2499	2188	1899	30
31	1.6670	1.1993	0.9794	8341	7254	6385	5662	5042	4499	4017	3583	3189	2827	2493	2183	1894	31
32	1.6532	1.1946	0.9765	8320	7238	6372	5651	5032	4491	4010	3576	3183	2821	2488	2178	1889	32
33	1.6398	1.1899	0.9737	8300	7222	6359	5640	5023	4482	4002	3570	3176	2816	2483	2173	1885	33
34	1.6269	1.1852	0.9708	8279	7206	6346	5629	5013	4474	3994	3563	3170	2810	2477	2168	1880	34
35	1.6143	1.1806	0.9680	8259	7190	6333	5618	5003	4466	3987	3556	3164	2804	2472	2164	1875	35
36	1.6021	1.1761	0.9652	8239	7174	6320	5607	4994	4457	3979	3549	3157	2798	2467	2159	1871	36
37	1.5902	1.1716	0.9625	8219	7159	6307	5596	4984	4449	3972	3542	3151	2793	2461	2154	1866	37
38	1.5786	1.1671	0.9597	8199	7143	6294	5585	4975	4440	3964	3535	3145	2787	2456	2149	1862	38
39	1.5673	1.1627	0.9570	8179	7128	6282	5574	4965	4432	3957	3529	3139	2781	2451	2144	1857	39
40	1.5563	1.1584	0.9542	8159	7112	6269	5563	4956	4424	3949	3522	3133	2775	2445	2139	1852	40
41	1.5456	1.1540	0.9515	8140	7097	6256	5552	4947	4415	3942	3515	3126	2770	2440	2134	1848	41
42	1.5351	1.1498	0.9488	8120	7081	6243	5541	4937	4407	3934	3508	3120	2764	2435	2129	1843	42
43	1.5249	1.1455	0.9462	8101	7066	6231	5531	4928	4399	3927	3501	3114	2758	2430	2124	1838	43
44	1.5149	1.1413	0.9435	8081	7050	6218	5520	4918	4390	3919	3495	3108	2753	2424	2119	1834	44
45	1.5051	1.1372	0.9409	8062	7035	6205	5509	4909	4382	3912	3488	3102	2747	2419	2114	1829	45
46	1.4956	1.1331	0.9383	8043	7020	6193	5498	4900	4374	3905	3481	3096	2741	2414	2109	1825	46
47	1.4863	1.1290	0.9356	8023	7005	6180	5488	4890	4365	3897	3475	3089	2736	2409	2104	1820	47
48	1.4771	1.1249	0.9330	8004	6990	6168	5477	4881	4357	3890	3468	3083	2730	2403	2099	1816	48
49	1.4682	1.1209	0.9305	7985	6875	6155	5466	4872	4349	3882	3461	3077	2724	2398	2095	1811	49
50	1.4594	1.1170	0.9279	7966	6960	6143	5456	4863	4341	3875	3454	3071	2719	2393	2090	1806	50
51	1.4508	1.1130	0.9254	7947	6945	6131	5445	4853	4333	3868	3448	3065	2713	2388	2085	1802	51
52	1.4424	1.1091	0.9228	7929	6930	6118	5435	4844	4324	3860	3441	3059	2707	2382	2080	1797	52
53	1.4341	1.1053	0.9203	7910	6915	6106	5424	4835	4316	3853	3434	3053	2702	2377	2075	1793	53
54	1.4260	1.1015	0.9178	7891	6900	6094	5414	4826	4308	3846	3428	3047	2696	2372	2070	1788	54
55	1.4180	1.0977	0.9153	7873	6885	6081	5403	4817	4300	3838	3421	3041	2691	2367	2065	1784	55
56	1.4102	1.0939	0.9128	7854	6871	6069	5393	4808	4292	3831	3415	3034	2685	2362	2061	1779	56
57	1.4025	1.0902	0.9104	7836	6856	6057	5382	4798	4284	3824	3408	3028	2679	2356	2056	1774	57
58	1.3949	1.0865	0.9079	7818	6841	6045	5372	4789	4276	3817	3401	3022	2674	2351	2051	1770	58
59	1.3875	1.0828	0.9055	7800	6827	6033	5361	4780	4268	3809	3395	3016	2668	2346	2046	1765	59
	0	1	2	3	4	5	6	7	8	9	10	11	12	13	14	15	

RULE:—Add proportional log. of planet's daily motion to log. of time from noon, and the sum will be the log. of the motion required. Add this to planet's place at noon, if time be p.m., but subtract if a.m. and the sum will be planet's true place. If Retrograde, subtract for p.m., but add for a.m.

What is the Long. of ☽ Nov. 17, 1992 at 2.15 p.m.?

☽'s daily motion—14° 12′

Prop. Log. of 14° 12′	.2279
Prop. Log. of 2h. 15m.	1.0280
☽'s motion in 2h. 15m. = 1° 20′ or Log.	1.2559

☽'s Long. = 25° ♌ 35′ + 1° 20′ = 26° ♌ 55′

The Daily Motions of the Sun, Moon, Mercury, Venus and Mars will be found on pages 26 to 28.